voir et comprendre

CORDOUE

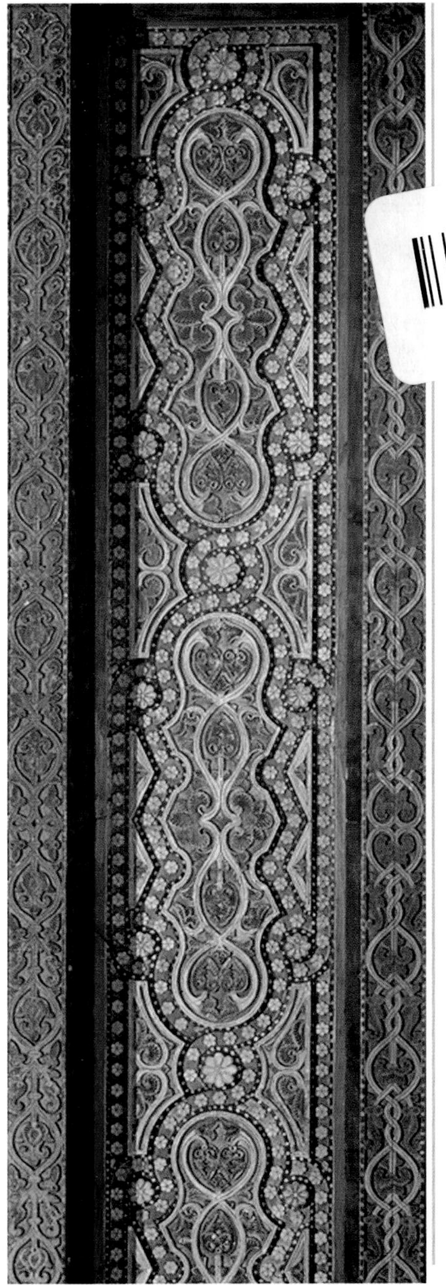

"Cordoue n'est pas une ville décadente, une des ces villes hautaines, malades de passé, dans laquelle la vie devient irrespirable... Cordoue maintient la définitive prestance, sans emphase...Elle est faite elle-même de la substance du temps et de la matière des songes... Il y a des lieux en elle qui semblent contenir, dissimulée et intacte, l'intégrité de l'univers"

Antonio Muñoz Molina

Edilux s.l.

Cordoue a toujours joué un rôle déterminant en Andalousie, en raison de sa situation stratégique dans le bassin du Guadalquivir. Le fleuve, navigable durant l'antiquité, est la grande voie de communication de l'histoire par où ont pénétré les peuples qui façonnèrent et enrichirent la culture méditerranéenne.

Point de passage vers le plateau castillan (la Meseta), les successifs établissements humains qui occupèrent le noyau originel de la ville, s'imposèrent comme centres administratifs et de pouvoir, contrôlant les ressources minières, agricoles et humaines de la région. Les gisements archéologiques témoignent de l'existence d'établissement humains très actifs dès la fin de l'ge du Bronze, parmi lesquels se distingue ""Corduba", qui se traduit aujourd'huicomme "la colline près du fleuve". Il s'agissait en toute logique d'une petite localité, mais qui était déjà pavée et disposait d'un port fluvial pour le commerce naissant, attesté par des découvertes de pièces en céramique et de forges pour obtenir le bronze de la Sierra. La région hérita des Phéniciens deux industries cruciales: l'huile d'olive et les salaisons. Tout près de la ville se développa aussi une importante activité tartéssique. Mais c'est avec la romanisation que Cordoue entra de plein pied dans l'histoire.

• Écija. Seville

L'Andalousie est une entité régionale où l'on trouve une grande variété de reliefs et de climats, comme un petit continent. Elle est traversée par la riche vallée du Guadalquivir, ouverte aux vents de l'Atlantique, délimitée par la Sierra Morena au Nord et la chaîne bétique à l'Est et au Sud. Ainsi, la région se divise entre l'Andalousie Occidentale (ou Basse Andalousie) et l'Orientale (ou

• Punta Umbría. Huelva

• Conil-Barbate. Cádi

Haute), dominée par les systèmes montagneux et les vallées intrabétiques. Les deux Andalousies se complètent et forment un ensemble géographique et surtout historique, avec de fortes particularités et un riche passé. Située au coeur de l'Andalousie, Cordoue fait partie de ces deux Andalousies. Elle se situe en effet entre la Sierra Morena, qui s'étend au Nord avec ses pâturages et ses forêts de chênes verts et de chênes-lièges, et les collines céréalières de la Campiña au Sud, auxquelles succèdent les montagnes subbétiques, productrice d'excellents vins et d'une merveilleuse huile d'olive.

•CASTILLO DE BELALCÁZAR. CORDOOUE

•CHATEAU D´ALCAUDETE. JAÉN

Dans ce contexte géographique et humain, on comprend pourquoi Cordoue s'est imposée comme la plus grande métropole du continent européen au X ème siècle. Sa splendeur était alors seulement comparable à celle de Bagdad et de Constantinople en Orient. C'est par elle que fut transmis l'incommensurable héritage gréco-latin, enrichi de ses propres apports, si importants pour connaître notre histoire.

DÉSERT DE TABERNAS. ALMÉRIA

•SIERRA NEVADA. GRENADE

•CÓMPETA. MÁLAGA

voir et comprendre

CORDOUE

L´HISTOIRE DE CORDOUE
LA CITÉ

•Vue de Cordoue
Dessin d'Anton Van Wingaerde de 1568

•La Porte du Pont
Lithographie de 1836

•Sénèque
Le cordouan Lucio Anneo Seneca (4-65 ap. J.C.) L'un des principaux philosophes de l'Antiquité romaine. Sa statue se dresse devant la Porte d'Almodovar.

L´Histoire de Cordoue

Les Romains s'installèrent à Cordoue en l'an 206 av. J.C.. Elle devient colonie en 169 av. J.C. et obtient le statut de Colonie Patricienne et de capitale de la Hispania Ulterior en 152 av. J.C.. Avec l'établissement de l'empire sous Auguste, elle s'impose comme capitale de la Baetica. Auparavant, elle souffrit des conséquences de la guerre civile entre César et Pompée, mais elle maintint son hégémonie. C'est avec Dioclétien, au troisième siècle de notre ère, qu'elle perdit son statut de capitale au profit d'Hispalis (Séville). Parmi les hommes illustres qui naquirent dans la ville, se distingue Sénèque, précepteur de Néron, philosophe du stoïcisme dont la doctrine, référence et quintessence de la sagesse populaire, a été adoptée par les Andalous, mais aussi le poète Lucain ou l'évêque Osio. L'invasion barbare au V ème siècle impliqua la destruction de la ville, qui renaquit cependant de ses cendres en 711 avec la conquête musulmane. Cinq ans plus tard, les arabes la convertirent en leur capitale d'al-Andalus. Mais la période de grande splendeur commence en fait en l'an 756, quand Abderrahman I, surnommé "l'immigrant", unique survivant de la dynastie oméyyade de Damas dont les membres furent massacrés par leurs rivaux abbasides, y installe son pouvoir, instaurant l'Emirat indépendant d'al-Andalus. Ce premier émir réussit à créer un état fort et centralisé, basé davantage sur l'appui d'armées de mercenaires que sur les forces et structures tribales traditionnelles. Il assit ainsi les bases d'un état puissant, qui cependant dut combattre durant de longues décennies les rebellions endémiques de franges de la population.

•Temple de Claudio Marcelo.
Les colonnes du temple romain devant la façade de la Mairie

Son descendant Abderrahman III réussit à étouffer la rébellion, imposa son pouvoir et son influence sur toute la Péninsule et une partie du Maghreb. Il instaura le Califat en 929, initiant une période considérée comme celle de plus grande splendeur.

• **Medina Azahara**
Erigée à 8 km de Cordoue dans la deuxième moitié du Xème siècle par le calife Abderrahman III, la cité palatiale incarne, avec la mosquée de Cordoue, l´apogée de lárt califal.

• **Forêt de colonnes de la Grande Mosquée**

Cette splendeur du temps des Oméyyades se lit dans la Grande Mosquée, initiée par le fondateur Abderrahman I en 785, agrandie par Abderrahman II en 833, remodelée par Abderrahman III en 945, à nouveau agrandie par le fils de ce dernier Al-Hakam II en 961. Ce calife illustré termina aussi la construction de la magnifique cité palatiale de Medina al-Zahra, entamée par son père.

La période du califat est donc celle des grandes constructions, des bibliothèques et d'une intense vie intellectuelle. En ce brillant X ème siècle, le rayonnement culturel de Cordoue s'impose au monde. L'infléchissement de cette magnificence s'amorce avec l'arrivée au pouvoir du général al-Mansour, qui usurpa le pouvoir des Oméyyades.

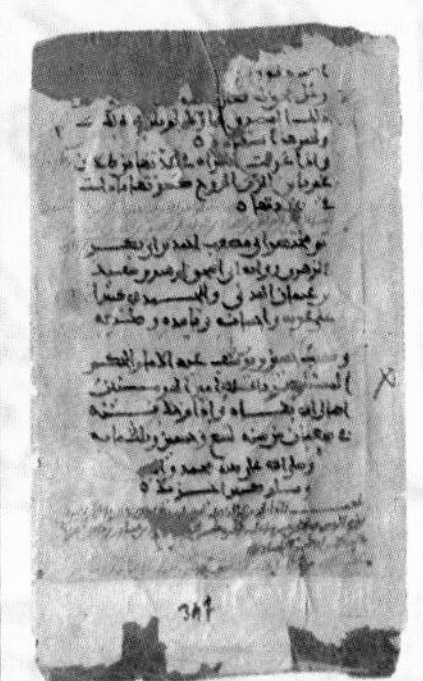

• **Manuscrit**
provenant de la Bibliothèque de Cordoue pendant le règne d'al-Hakam II.

• **Le calife Abderrahman III**
il fut le véritable artisan de la prospérité et du prestige du califat qu'il fonda. A gauche, deux représentations postérieures.

• Averroès, le grand érudit
Ses traités de médecine, de mathématiques et d'astronomie sont célèbres.

• Maïmonides
Grand penseur hispano-juif. A l'âge du 23 ans, il dut fuir les persécutions religieuses en cours en al-Andalus, se réfugiant à Fès. Il mourut à Fustat (Le Caire) le 13 décembre 1204.

L'incapacité de ses successeurs aboutit rapidement à la désintégration de fait du Califat en 1013 et de son abolition définitive en 1031. Sur les cendres de cet état, surgit un mosaïque de petits états indépendants appelés les "royaumes de taifas".

Apogée intellectuelleIl arrive parfois que la décadence politique coïncide avec une période d'essor intellectuel. La période post-califale vit apparaître des figures marquantes d'une grande influence dans la culture occidentale, comme le poète Ibn Hazm (994-1064), le philosophe Averroès (1126-1198) et le médecin et théologien Maïmonides (1135-1204), compilateur de la Torah et considéré comme le grand penseur du judaïsme.

Parmi les états de taifas du XI ème siècle, celui de Séville était le plus puissant. Il annexiona d'autres royaumes, dont celui de Cordoue. Les rois sévillans, en particulier al-Mutamid, se voulaient les héritiers de la splendeur du califat. Mais une fois de plus, les intrigues et les luttes internes, ainsi que la croissante pression des royaumes chrétiens du Nord, fit que al-Andalus se jeta dans les bras des Almoravides nord-africains, qui finirent par envahir le territoire, repoussant ainsi la reconquête chrétienne de plusieurs siècles.

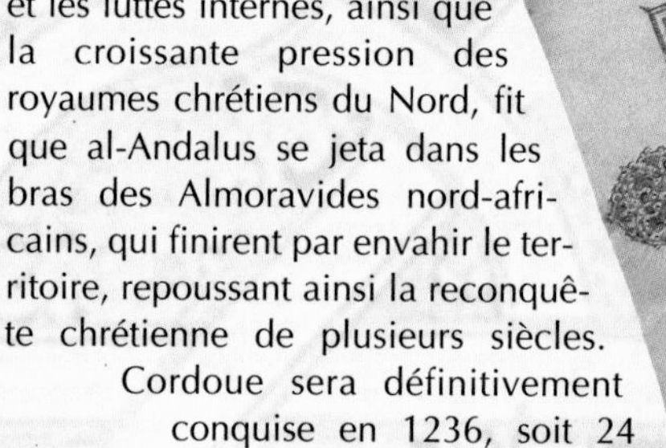

Cordoue sera définitivement conquise en 1236, soit 24 ans après la décisive bataille de Navas de Tolosa, par le roi Ferdinand III.

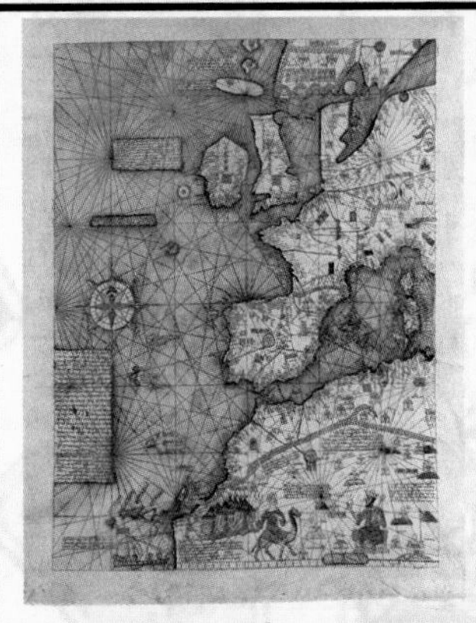

•**DOCUMENTS POUR L'HISTOIRE.** *Il existe de nombreux documents qui attestent l'héritage scientifique d'al-Andalus. La cartographie ou la chirurgie - en haut - figurent parmi les disciplines que les Arabes diffusèrent en Occident.*

•**L'HÉRITAGE SCIENTIFIQUE D'AL-ANDALUS** *Il fut fondamental pour Occident, qui, durant le haut Moyen-age, s'était délié de l'héritage du monde classique. Averroès, grâce à ses fameux commentaires de l'oeuvre d'Aristote, permit la transmission de la pensée du philosophe grec en Europe.*

•**CORANS MANUSCRITS** *de la période almoravide. La décoration en rouge, bleu foncé et noir, rappelle celle du mihrab de la Grande Mosquée de Cordoue, alors que le motif géométrique de l'octogone à l'intérieur d'une étoile à huit pointes, tant répété ultérieurement en al-Andalus, ressemble au dessin de la coupole située face au mihrab de cette même mosquée. Ils furent élaborés à Cordoue en 1170.*

•**LE MINARET D'ABDERRAHMAN III** *Conservé dans la Cathédrale de Cordoue, il appartient à un livre de choeur du XVI ème*

•**PONT ROMAIN ET FLEUVE GUADALQUIVIR** *(Phot. J. Laurent).* **MOULIN DE L'ALBOLAFIA, ROUE HYDRAULIQUE SUR LE GUADALQUIVIR** *Vestige de la culture hydraulique d'al-Andalus du IX siècle. Ces grandes roues remontant l'eau à la surface à l'aide de palettes et des récipients étaient courantes dans le monde islamique à l'époque médiévale et il en subsiste de nombreux exemplaires.*

•

La Cité

Chapitel califal.

Selon les chroniques et les témoignages archéologiques, le périmètre des murailles au début du XI ème siècle (22 kms) était plus long que celui de la ville actuelle du XXI ème siècle. Le centre historique recouvre actuellement quelques hectares autour du fleuve, une superficie trop éxiguë pour celle qui fut la plus grande métropole d'Occident au X ème siècle.

(1) La Sinagoga

Calle de Los Judíos 10, 957 20 29 28.

C'est l'une des trois synagogues conservées en Espagne. Construite au début du XIV ème siècle en style mudéjar, au coeur du quartier de la Judería. Les inscriptions en hébreu recouvrent les murs de stuc.

(3) L'Alcazar des Rois Chrétiens

Rue des Caballerizas Reales s/n
Tel : 957 42 01 51

A proximité de la Grande Mosquée et sur des vestiges romains et arabes, Alphonse XI ordonna construire en 1328 cet forteresse appelé "Alcazar des Rois Chrétiens", afin de le distinguer de ceux des émirs musulmans. Pendant la Reconquête, les Rois Catholiques le convertirent en leur résidence lors de leur séjour dans la ville. Plus tard, il fut le siège de l'Inquisition et ensuite prison jusqu' en 1951. Aujourd'hui, ses jardins et ses fontaines lui donnent un aspect beaucoup plus agréable.

(8) Musée Julio Romero de Torres.

Plaza del Potro 1, 957 49 19 09.

Y est exposée une collection de ce peintre qui sut capter l'âme de la femme cordouane de son temps..

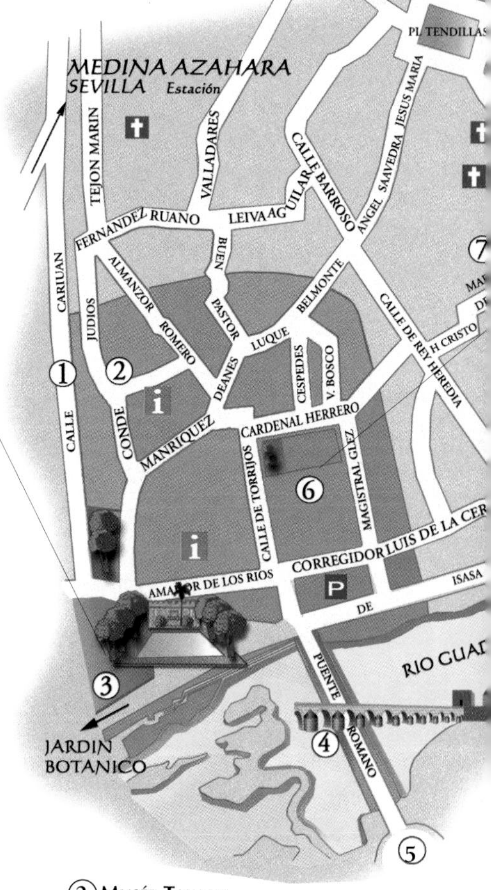

(2) Musée Taurin

Plaza de Maimónides s/n, 957 20 10 56.

C'est le musée qui reçoit le plus grand nombre de visiteurs. Outre des objets artisanaux, y sont exposés des souvenirs des grandes figures cordouanes de la tauromachie.

⑦ Musée Archéologique

Plaza de Jerónimo Páez, 7 957 47 40 11.

C'est un musée exemplaire aussi bien pour le contenant que pour le contenu. Installé dans une mansion de la Renaissance, il conserve des pièces significatives de l'époque romaine et d'importants vestiges de l'époque musulmane.

⑥ La Mosquée de Cordoue

La Mosquée de Cordoue est un des grands chefs d'oeuvres de l'architecture mondiale, l'exemple le plus abouti de l'art islamique en Occident, aussi bien du point de vue des ses innovations techniques et esthétiques que pour son influence dans l'histoire de l'art.

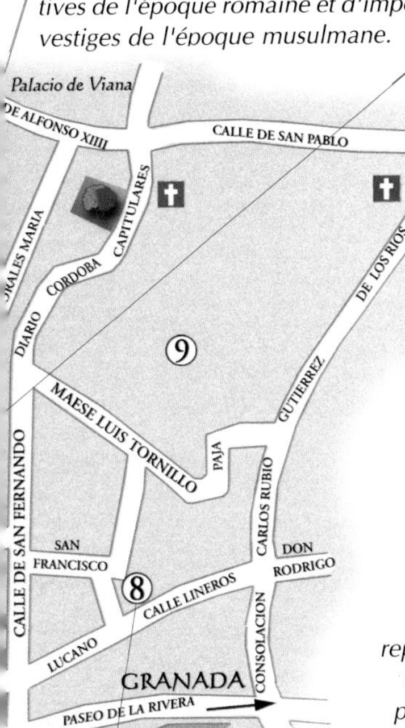

⑨ Callejón de las Flores (Ruelle des fleurs)

C'est peut-être une des impasses les plus caractéristiques dans le centre historique, combinant la blancheur de la chaux et les couleurs vives des géraniums, et le campanile au fond.

④ Pont romain

Le Pont romain repose toujours sur les fondations romaines primitives. Témoin et décor des crises et des guerres qui secouèrent la ville, il fut reconstruit plusieurs fois au fil des siècles.

⑧ Musée provincial des Beaux Arts

Plaza del Potro, 1 957 47 33 45.

Dans ce musée, sont notamment exposées des toiles de l'école sévillane, avec des oeuvres de Murillo, Zurbarán et Valdés Leal.

⑤ Tour de la Calahorra

Construite au XIV ème siècle sur la rive opposée à la Mosquée, elle permettait de contrôler l'accès au Pont. Elle héberge aujourd'hui le Musée des Trois Cultures, dont le but est de diffuser la pensée cordouane du X ème siècle.

voir et comprendre

CORDOUE

LES PRÉCÉDENTS ET LA CONSTRUCTION DE LA MOSQUÉE
LES AGRANDISSEMENTS DE LA MOSQUÉE
AL-HAKAM II - LA MAKSURA ET LE MIHRAB
LA STRUCTURE ARCHITECTONIQUE DE LA MOSQUÉE
L'AGRANDISSEMENT D'AL-MANSOUR
LA CATHÉDRALE

•La Mosquée de Cordoue
A droite, vue de la salle de prières. La bichromie basée sur la combinaison d'éléments constructifs, alternant les voussoirs blancs et rouges, crée l'illusion d'un espace sans axe défini, statique et dynamique à la fois, qui s'ouvre dans toutes les directions. Du fait de la construction de la Cathédrale en son centre, il reste 856 des 1013 colonnes originales.

•Minaret de la mosquée de Kairouan *(Tunisie)*, *ci-dessus. En bas, vue de la Mosquée Al-Aksa à Jérusalem.*

Precedentes de la Mosquée

Les premières mosquées, après celle de Médine, furent celles de Koufa (638) et d'Amrou (642), qui déjà avait des colonnes en briques; peut après, les Oméyyades, véritables initiateurs de l'architecture islamique, dressèrent le Dôme du Rocher à Jérusalem (687). Mais les mosquées des premiers temps de l'Islam au VIII ème siècle qui influencèrent durablement l'art islamique furent celles de Damas en Syrie (707) (ci-dessus, cour de la Mosquée des Oméyyades de Damas) et la Mosquée al-Aksa de Jérusalem (710, ci-dessous). Elles portent toutes la marque de l'héritage préislamique basilical, avec des nefs parallèles à la quibla formées d'arcs, qui supportent des murs sur lesquels se dressent une deuxième arcade plus petite afin de réduire le poids et laisser passer la lumière; une solution assez courante dans les constructions classiques. Dans la continuité de la tradition, il y a aussi la décoration de mosaïques d'origine romano-byzantine, représentant des ensembles architectoniques et des jardins. Postérieurement, ces éléments disparaîtront de Cordoue, donnant lieu à la décoration typiquement islamique, basée sur la multiplication de motifs géométriques et végétaux très stylisés et les inscriptions religieuses.

L'influence syrienne s'étendit par l'Afrique du Nord à travers Kairouan (Tunisie), jusqu'à Cordoue où, 80 ans plus tard, elle recevra une innovatrice impulsion qui en plusieurs aspects dépassa les modèles orientaux. Face à ses aînées, comme

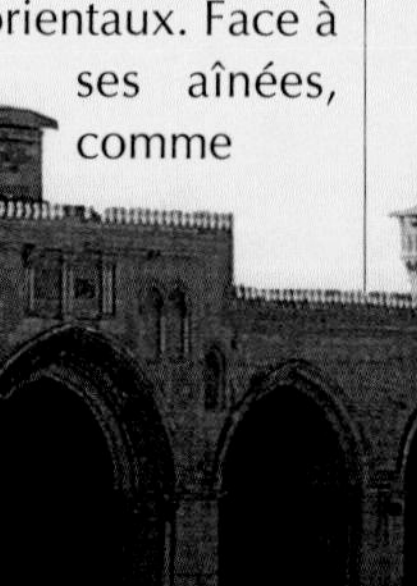

Damas, où s'imposent les volumes puissants clairement définis et dominés par l'élévation et l'alignement, la mosquée de Cordoue apporte un nouveau concept de l'espace qui est ici horizontal, statique et en même temps dynamique, ouvert vers toutes les directions. Une autre différence qui a suscité de fortes polémiques concerne l'orientation du mur de la quibla devant indiquer la direction de la Mecque. Mais ici, il est dévié de 38º vers le sud. Pour certains auteurs, cette erreur se doit au fait que l'on conserva l'orientation de la primitive église de Saint Vincent. Pour d'autres, cela tient à ce qu'elle est une réplique de l'orientation de sa soeur damascène.

• **Mosaïques**
Dans la mosquée des Oméyyades (en haut), les mosaïques suivent clairement la tradition byzantine. Les tonalités dorées sur fond vert et bleu prédominent. A côté, mosaïques du mihrab de Cordoue.

• **La salle de prière**
de la Mosquée de Damas, où l'on admire l'élévation et la transparence obtenue en superposant une petite arcade sur la série d'impression-nantes colonnes et arcs.

• Gravure de la mosquée et du pont. *Le côté sud de la Mosquée occupe le centre du dessin.*

• Vue panoramique depuis la tour-minarete.

La Construction de la Mosquée

Les chroniqueurs arabes nous donnent le témoignage suivant: "Quand le nombre de musulmans en al-Andalus s'accrut, quand Cordoue prospéra et les princes arabes s'installèrent avec leurs armées, cette mosquée leur parut insuffisante et ils durent lui ajouter des tribunes, et ainsi les gens sentirent une grande gêne en raison de l'étroitesse...". En effet, l'accroissement du nombre de croyants rendait trop exigu l'espace de l'église Saint Vincent que les arabes partageaient avec les chrétiens, leur ayant acheté après la conquête la moitié de la basilique. Ils rachetèrent plus tard l'autre moitié, au prix de généreuses compensations économiques et en permettant aux chrétiens de bâtir de nouvelles églises dans d'autres quartiers de la ville. Les travaux de la nouvelle mosquée furent réalisés en un temps record grâce à la réutilisation de matériaux préexistants dans la basilique et en récupérant une grande quantité d'éléments constructifs comme les bases, chapiteaux, fûts et colonnes, de palais et ruines romaines et wisigothiques situé à proximité. La participation des gouvernants aux travaux était

importante. Les spécialistes se demandent si le fondateur Abderrahman put être l'architecte de sa mosquée ou s'il fit amener des architectes syriens. On ne sait jusqu'à quel degré il participa aux travaux. Mais une chose est sûre : l'influence syrienne est ici manifeste, et le génie local y ajouta la créativité de formules architectoniques et décoratives qui feront de la mosquée cordouane un modèle à suivre durant des siècles. A la mort d'Abderrahman I (788), la construction n'était pas achevée. Mais on pouvait y prier l'année suivante du début de travaux (785). La mosquée ne fut achevée que lorsque son fils Hisham termina le minaret primitif carré dans la cour, en 793.

• **La Mosquée de Damas .(à gauche).** *Abderrahman I était très influencé par la tradition architecturale du Proche-Orient où il passa sa jeunesse. En bas, miniature turque qui fait référence à l'appel à la prière par le*

premier muezzin, qui selon la tradition était un noir appelé Bilal.

La première mosquée - mot qui signifie lieu où l'on se prosterne - a été la maison de Mahomet à Médine, où se réunissaient les croyants pour écouter les prêches du Prophète. C'était une cour en plein air où des troncs de palmiers soutenaient une chaumine pour se protéger du

AQUEDUC DE LOS MILAGROS À MÉRIDAA

soleil. Il n'existait pas de traditions architectoniques dans le désert, et ce furent les premiers Oméyyades qui, s'inspirant de la tradition gréco-romaine, construisirent le Dôme du Rocher à Jérusalem (687) et la Mosquée de Damas (707). A Cordoue, la nécessité d'un espace plus ample et horizontal donna naissance à des solutions à la fois originales et pratiques. Les matériaux de réutilisation utilisés dans toutes les mosquées - récupérés des anciens monuments romains et wisigothiques - se composaient à Cordoue de colonnes plus courtes que celles utilisées en Syrie. Ainsi, elles ne permettaient guère d'atteindre la hauteur souhaitée, de sorte que le génie créateur de l'architecte dont on ignore le nom

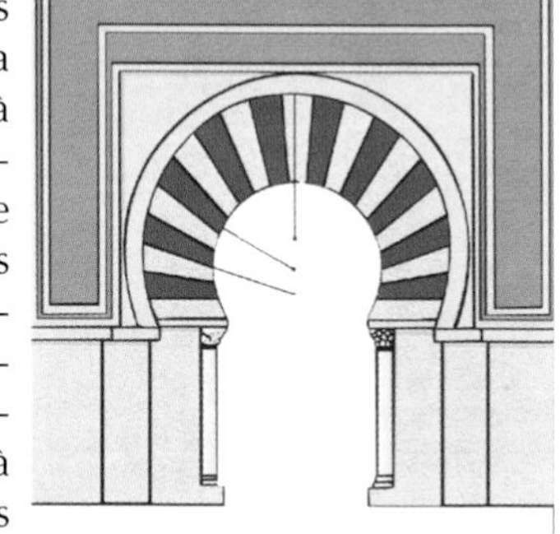

•**LA SUPERPOSITION** *des arcs est un procédé qui compte plusieurs antécédents. L'aqueduc romain de Mérida combine les arcs superposés en maçonnerie alternant briques et pierres, comme les voussoirs alternés de la Mosquée.*

•**L'ÉGLISE DE SAN JUAN DE BAÑOS, VIÈME SIÈCLE** *est une des nombreuses constructions wisigothiques qui utilisèrent l'arc en fer à cheval dans la Péninsule ibérique.*

•**L'ARC EN FER A CHEVAL,** *d'origine espagnole et préislamique, se base sur la superposition d'arcs dont les centres se déplacent en descendant sur la verticale. Voir schéma à droite.*

s'inspira probablement de l'aqueduc romain de Los Milagros à Mérida (page précédente), en créant en premier lieu une ligne horizontale (impostes) d'où il "fit pendre" les colonnes de différentes dimensions, en les alignant à la même hauteur, soit en leur ajoutant des bases, soit en les enfonçant dans le sol si nécessaire.

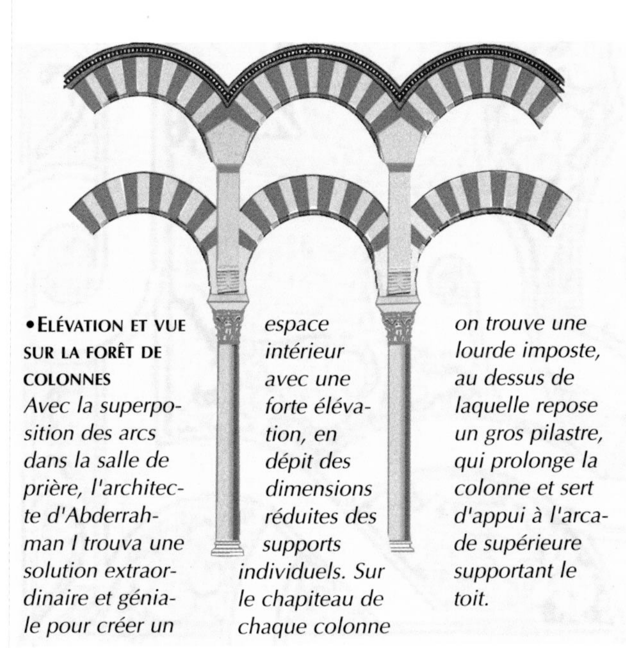

• ELÉVATION ET VUE SUR LA FORÊT DE COLONNES
Avec la superposition des arcs dans la salle de prière, l'architecte d'Abderrahman I trouva une solution extraordinaire et géniale pour créer un espace intérieur avec une forte élévation, en dépit des dimensions réduites des supports individuels. Sur le chapiteau de chaque colonne on trouve une lourde imposte, au dessus de laquelle repose un gros pilastre, qui prolonge la colonne et sert d'appui à l'arcade supérieure supportant le toit.

Sur le chapiteau il plaça une cimaise ou un abaque en forme de tronc inverti afin de gagner du volume et au dessus, un pilastre rectangulaire encore plus large, tout en décorant l'espace saillant avec des moulures de nouvelle facture, une invention cordouane. Du pilastre supérieur, partent deux arcs en plein cintre, soutenant ainsi le toit-aqueduc. Mais cette structure si svelte, plus massive en hauteur, tend à s'effondrer. C'est pourquoi - et cela est la grande découverte cordouane -, sur le cimaise et formant une croix avec la base du pilastre, il intercala les arcs en fer à cheval qui sont de véritables contreforts-tirants, évitant ainsi de colmater les ouvertures.

• EVOCATION DE LA PATRIE
L'architecte cordouan n'imita peut-être pas volontairement une palmeraie, mais l'édifice devait évoquer ce souvenir chez les Arabes, puisque le palmier était le symbole par excellence de la lointaine patrie. Comme la mosaïque qui décore le trésor de la Mosquée des Oméyyades, signifiant que le paradis se trouve à Damas (ci-dessous).

• L'ESPACE DANS LA MOSQUÉE

Stierlin dit: *"Jamais auparavant, n'avaient été conçus des espaces intérieurs aussi vastes, faits avec des moyens si simples, comme des colonnes supportant des arcs de dimensions réduites. Ni les salles hypostyles des temples pharaoniques (Karnak, Louxor), ni les basiliques romaines, ni les églises constantiniennes pouvaient être comparées. Jamais les espaces n'avaient été si légers et transparents. Probablement, seules les grandes citernes romaines et byzantines sont à l'origine de tels schémas".*

Une autre innovation par rapport à la mosquée de Damas, sans nier pour cela son influence, est que les nefs sont perpendiculaires au mur de la quibla et non pas parallèles. La nef centrale qui conduit au mihrab est plus large, selon le type basilical, ce qui contribue à créer un axe directionnel convergent vers ce point, sans rompre toutefois l'uniformité de l'espace.

A gauche, partie du premier agrandissement ordonné par Abderrahman II (833), où l'on ajouta 11 nefs du côté de la quibla. On utilisa également des matériaux récupérés d'anciennes constructions, bien que 17 des chapiteaux furent taillés expressément par des artisans cordouans. Les bases des colonnes ont été supprimées. Les fûts sont lisses, sauf deux cannelés (à gauche) et un en spirale.

LAS AGRANDISSEMENTS DE LA MOSQUÉE

Bien que les travaux s'étirent sur une période de plus de deux siècles, la structure de la mosquée primitive a été respectée au cours des successifs agrandissements. Cela est peut-être du à la reconnaissance pour ses fondateurs, mais sans doute aussi parce que la première mosquée d'Abderrahman I contenait tous les éléments et innovations techniques et esthétiques propres à l'oeuvre parfaite. Hisham I (788-796) termina les travaux initiés par son père Abderrahman I, en érigeant le premier minaret. Quarante ans plus tard, le second Abderrahman (822-852) réalisa le premier agrandissement de la salle de prière (833), en lui ajoutant huit travées. Près de la moitié de la superficie de cet agrandissement a été absorbé par la Cathédrale. Dans les travaux d'agrandissement, qui durèrent 15 ans, furent également utilisées des colonnes anciennes, mais sans bases et 17 chapiteaux d'influence romaine sculptés ex profeso pour la mosquée. Un siècle plus tard (951), le calife Abderrahman III fit construire le nouveau minaret de 48 mètres de haut, du quel il ne reste que 22 mètres engoncés dans l'actuel campanile. Ce minaret influença grandement ceux de l'Islam occidental. Le calife fit aussi agrandir la cour de 60 mètres vers le Nord, en la délimitant sur trois côtés par le riwaq, les portiques de six mètres de large, où s'alternent piliers et colonnes. Son fils, al-Hakam II, prince cultivé et pieux, dirigea les travaux dans la cité palatiale de Medina al-Zahra. Au lendemain de son ascension au trône (961), celui-ci décida un nouvel agrandissement de la Mosquée, qui s'avérera une nouvelle fois insuffisant quelques décennies plus tard, du fait de la croissance de la population. Il fit démolir l'ancien mur de la quibla, et ajouta 12 autres travées vers le sud, jusqu'au point où le fleuve le permettait. La salle de prière atteignit ainsi 104 mètres. Il fit dresser la Maqsura et le Mihrab, qui constituera l'élément le plus raffiné avec les réussites du premier architecte du VIII ème siècle. Vingt-six ans plus tard, le général al-Mansour ordonna l'ultime agrandissement, en ajoutant huit nefs vers l'Est.

A. LA COUR DES ORANGERS

C'était le lieu où s'effectuaient les ablutions, la purification rituelle avant la prière. Elle était agrémentée de palmiers et d'orangers, comme nous pouvons le voir à la photographie.

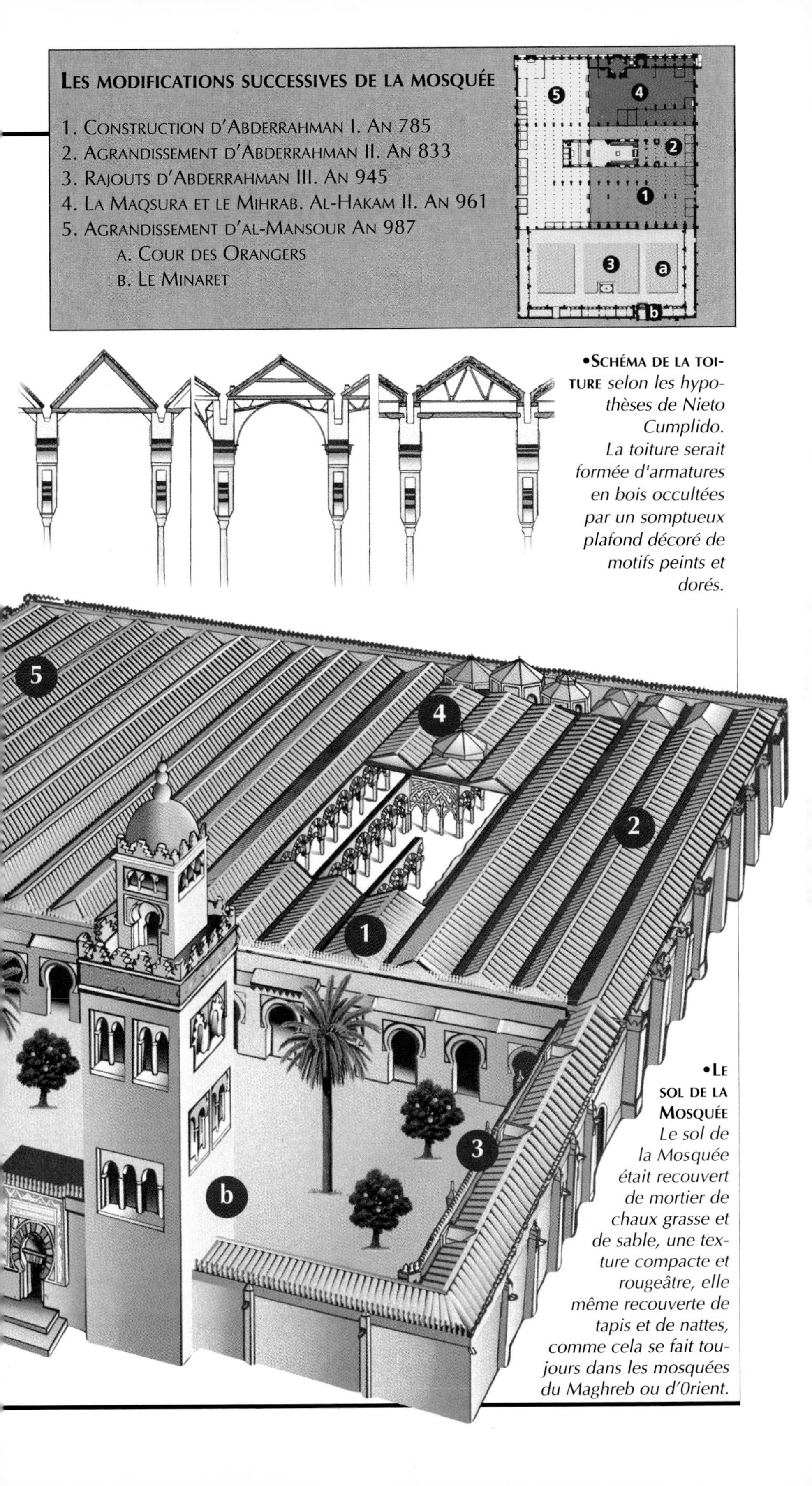

LES MODIFICATIONS SUCCESSIVES DE LA MOSQUÉE

1. CONSTRUCTION D'ABDERRAHMAN I. AN 785
2. AGRANDISSEMENT D'ABDERRAHMAN II. AN 833
3. RAJOUTS D'ABDERRAHMAN III. AN 945
4. LA MAQSURA ET LE MIHRAB. AL-HAKAM II. AN 961
5. AGRANDISSEMENT D'AL-MANSOUR AN 987
   A. COUR DES ORANGERS
   B. LE MINARET

•**SCHÉMA DE LA TOITURE** *selon les hypothèses de Nieto Cumplido. La toiture serait formée d'armatures en bois occultées par un somptueux plafond décoré de motifs peints et dorés.*

•**LE SOL DE LA MOSQUÉE** *Le sol de la Mosquée était recouvert de mortier de chaux grasse et de sable, une texture compacte et rougeâtre, elle même recouverte de tapis et de nattes, comme cela se fait toujours dans les mosquées du Maghreb ou d'0rient.*

•L'intérieur de la Mosquée

En pénétrant dans la grande mosquée cordouane, le visiteur est en butte à une sensation inédite, celle d'être dans un un lieu éminemment sacré, un espace qui se répand dans toutes les directions, dans lequel les arcs transparents, suspendus comme s'il s'agissait de palmiers défiant la loi de la pesanteur, forment une énorme toile d'araignée à la recherche du transcendental. Les piliers affirment leur verticalité sur les chapiteaux comme des branches qui poussent en hauteur en quête de lumière. Les voussoirs blancs et rouges accentuent la sensation que l'espace se répète et se répand vers la limite toujours inaccessible de la ligne d'horizon" (A. Muñoz Molina).

Le parallélisme parfait entre le sol et le toit symbolise pour le croyant l'infini sans dimensions, le vide mystique, la nudité absolue de sa rencontre personnelle avec Dieu.

Les arcs lobulés de tradition abbasside (à gauche, la Maqsura) lui confèrent légèreté, même si ses éléments sont forts mais entrecroisés, tels une toile d'araignée, créant des lignes de décharge d'un très bel effet.

•**Gravure de Girault de Prangey. XVIII ème siécle.** *Enceinte de la Maqsura.*

Pour l'agrandissement d' Al-Hakam II (961), le plus important de tous, les matériaux de récupération ne furent déjà plus utilisés. Les colonnes et les chapiteaux sortirent des ateliers cordouans. La faible lumière et le peu de ventilation qui y parvenait obligea à ouvrir les quatre lucarnes. Une fois de plus, ce fut l'obstacle et le besoin de le surmonter qui fit surgir la géniale solution. Les éléments de supports nécessaires, plus solides que les précédents, paraissent multiplier la légèreté par les ajours créés par le croisement des arcs lobulés. Les entrelacs qui sont des nervures qui se croisent, deviennent plus massifs à l'intersection centrale, créant des tensions opposées, augmentant les voies de décharge tout en créant un effet splendide. Sur ce treillis se lève la coupole nervée qui semble flotter, inscrite dans un schéma octogonal de 6 m. de diamètre. Huit arcs de fines nervures forment deux carrés entrecroisés posés en angle de 45º pour la soutenir. Cette croisée agit comme un cintre, divisant l'espace en petits segments plus faciles à couvrir, puisque la voûte est en pierre et non pas en briques, comme les perses, postérieures d'un siècle (images page suivante).

• **Structure des arcs.** *L'arc inférieur se démultiplie ici en cinq lobes. Les arcs lobés inférieurs s'entrecroisent avec les supérieurs, répartissant le poids aux points d'intersection et terminant sur les colonnes. Les arcs aux multiples entrecroisements de la Maqsura créent une limite virtuelle, en même temps qu'ils enrichissent l'emplacement réservé au calife devant le Mihrab. La décoration, qui est ici plus riche, a aussi une fonction symbolique liée au pouvoir du souverain.*

L'ENCEINTE DE LA MAQSURA

C'est dans cette petite enceinte où l'art califal atteint sa pleine maturité et où apparaissent avec la plus grande force les influences combinées d'Orient et d'Occident. Selon Enrique Pareja, l'art califal a hérité de la période hispano-wisigothique l'arc outrepassé (ou en fer à cheval) et le chapiteau de feuilles charnues et du monde byzantin la représentation figurée. Ce qui serait authentiquement oméyyade seraient le transept, les minarets de plan carré,

• PROYECCIÓN LONGITUDINAL.

les mosaïques et surtout les coupoles goudronnées sans nervures; des ennemis abbassides ils auraient récupéré les arcs lobés et la stylisation des formes. Les voûtes nervées seraient une création cordouane, ainsi que les tawriq (la décoration géométrique et végétale) et les chapiteaux de marbre perforés au trépan. Sur cette page, on peut apprécier différents aspects de ces voûtes.

• LA ZONE DE LA MAQSURA. PLAN ORIGINAL (CH. EWERT)

• A l'intérieur de la Mosquée, la salle de prière atteint une grande élévation au moyen de la double arcade. Dans la Maqsura, il a été nécessaire d'ouvrir des lucarnes plus hautes, afin d'augmenter l'éclairage et accentuer l'espace autour du Mihrab.

• DEUX VOÛTES *de l'année 961 encadrent la principale, également nervée, comme le montre l'illustration. Il est fort peu probable qu'elles aient des antécédents dans des primitives constructions du Proche-Orient. Il est généralement reconnu que ce système de nervures est une invention purement califale, dont les solutions pourraient très bien avoir inspiré l'art gothique.*

• SECTION DE LA MAQSURA (GAUCHE)
Les trois premières travées de la nef centrale constituent un prélude à la salle de prière de al-Hakam II. L'espace qui entoure le mihrab demeure ainsi isolé du reste de la salle.

DOUBLE PAGE SUIVANTE, LA COUPOLE CENTRALE.

Al-hakam II. La Maqsura et le Mihrab.

•arc à coté du Mihrab

Le mihrab apparaît pour la première fois à Médine avec la reconstruction oméyyade de la mosquée. Mais ce fut à Cordoue où cet élément atteint l'expression la plus raffinée et où pour la première fois il se transforme en une niche à l'intérieur de la quibla, s'inspirant peut-être des absides chrétiennes ou des niches romaines pour les statues divinisées. Ce qui avant était une simple marque se convertit en niche à huit côtés, couronnée d'une coupole semi-sphérique en forme de coquille, symbole de la vie, de la parole divine, sous laquelle on plaçait au cours d'occasions spéciales, le Coran. Il se convertit en marque pour la prosternation devant Allah, une porte symbolique qui conduit à un au-delà où s'élèvent les prières, un symbole de l'absolu, une affirmation du divin en ce bas-monde. Ce qui naquit comme un simple élément de référence allait se transformer en point de convergence de la transcendante signification religieuse. Même si tout endroit est sacré et apte à la prière « où veux-tu te tourner, là se trouve le visage de Dieu. Mais le mihrab doit être la zone la plus luxueusement décorée parce qu'elle doit attirer les yeux comme un aimant pour les orienter au loin, vers, La Mecque » (M. Molina).

Page précédent, vue du Mihrab.

• **Selon Ibn Hazm.** *Al-Hakam II fut un des personnages les plus cultivés de son temps. Sa bibliothèque se composait de 400.000 volumes et abritait l'essentiel du savoir de l'époque.*

•**Gravure de Girault de Prangey** *de la Chapelle de Villaviciosa (à gauche).*

CARACTERES COUFIQUES
á caractère religieux, décorant l´arc du mihrab.

Le Mihrab.

Al-Hakam II, prince pieux et cultivé, avait dirigé les travaux de Madinat al-Zahra durant des années, de sorte qu'il n'y a rien d'étrange à ce que ce soit sous son règne que se réalisèrent les réformes les plus importantes dans la mosquée depuis sa fondation. Il est certain que son intervention personnelle fut décisive dans l'accomplissement de la maturité de l'art cordouan. Pour la décoration du mihrab, il sollicita l'aide de l'empereur byzantin Nicéfore Phocas, comme le fit 250 années avant lui le premier oméyyade à Damas. En ce temps, Charlemagne s'alliait avec les Abbassides de Bagdad tandis que les Oméyyades de Cordoue resserraient leurs liens avec l'Empire chrétien oriental. De cette collaboration, il reçut 320 quintaux de pièces de verre aux couleurs vives, certaines lamées en or, ainsi que le maître-artisan qui enseigna la technique byzantine de la mosaïque. Comme le dit Gómez Moreno, il faut remonter à Sainte Sophie pour trouver quelque chose de comparable en finesse et élégance.

•**Façade du Mihrab.** *Le respect de la structure de la première mosquée fut constant dans chacun des agrandissements, comme le démontre l'utilisation de l'arc outrepassé dans un encadrement, pour la première porte extérieure (855) (ci-dessus à droite). Cette heureuse découverte qui aura une grande répercussion, fournit le modèle pour la façade du Mihrab (en haut, à gauche), qui fut agrémentée de la décoration d'origine oméyyade pour les marbres et les faïences byzantines, ainsi que la décoration géométrique et végétale, de tradition orientale et montrant ici une exécution atteignant le plus haut degré de raffinement, appartenant à l'ainsi nommé second style. Avec les chapiteaux taillés au trépan, ce sont les éléments les plus significatifs de la maturité et de l'autonomie de l'art califal.*

La stylisation des motifs végétaux dans les petits arcs aveugles de l'intérieur du mihrab et l'utilisation de la couleur sont d'une délicatesse et d'une simplicité unique.

• La décoration de l'arc du Mihrab

La bichromie des voussoirs des arcs, présente depuis le début dans la mosquée, se transforme presque deux siècles plus tard dans l'arc du Mihrab en un fantastique jeu de motifs végétaux et géométriques sur fond bleu, rouge et doré (gauche), donnant lieu à la répétition symétrique et réitérative des motifs floraux non identifiables, aux réminiscences damascènes. Dans la ligne des impostes figure la date de conclusion de cette oeuvre (965), en petits caractères coufiques dorés sur fond rouge. Dans l'encadrement de l'arc, les inscriptions coraniques se détachent avec vigueur sur fond bleu et doré.

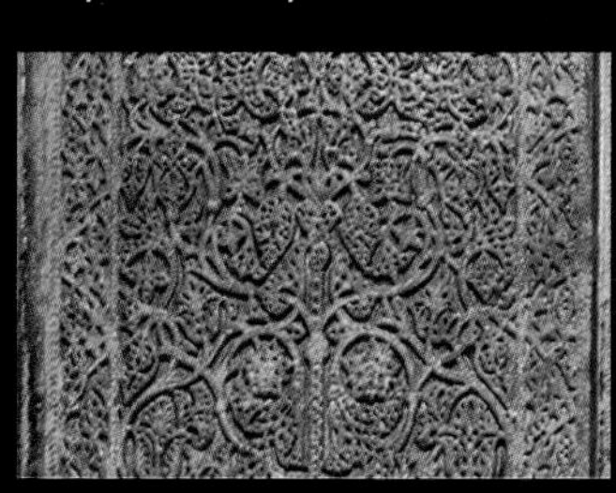

Fragment de l'arbre de la vie qui flanque le Mihrab, d'origine syro-persan, travaillé selon la technique du ciselé mou, qui permet la grande finesse d'exécution.

• Eléments décoratifs.

Feuilles et calices, rosaces de fleurs, demi-palmettes, trèfles, pommes de pin, grappes de raisins, appartiennent à la riche flore décorative hispano-oméyyade, dont les éléments individuels présentent toujours une décoration intérieure et souvent des bords creusés ou perforés.

• Coupole du Mihrab

Le Mihrab est surmonté d'une voûte en forme de coquille, non visible de l'extérieur, qui symbolise la parole du Coran, récupérant ainsi le symbole et la source de la vie de l'Antiquité. Depuis lors, il devient courant de couronner les mihrabs avec une coquille qui de plus sert d'amplificateur à la voix du prédicateur qui se répand sans efforts au sein de l'assemblée des fidèles.

C'est aussi l'attribut de la Vierge, comme Immaculée Conception qui a engendré la vie. Il rappelle aussi la représentation symbolique du baptême à travers la coquille. Ce symbole est aussi présent dans de nombreuses autres cultures et manifestations, pour ses connotations avec l'eau et la vie, avec le sexe féminin et la naissance.

• Al-Idrissi, *géographe du XII siècle, écrivit: "Parmi toutes les mosquées, elle n'a guère d'équivalents, aussi bien pour la beauté de son architecture et sa grandeur, que pour ses ornements".*

L'agrandissement d'al-Mansour

Al-Mansour était un habile fonctionnaire d'Algésiras qui réussit à se hisser aux instances les plus hautes du pouvoir. Il séquestra le faible calife Hisham II pour imposer son pouvoir absolu à partir de l'an 981. Une nouvelle fois en raison de la croissance de la population, mais aussi pour complaire aux chefs religieux qui critiquaient le népotisme et l'illégitimité de son autorité, il ordonna un dernier agrandissement de la mosquée.

La proximité du fleuve obligea les architectes à ajouter huit autres nefs vers l'Est, ce qui supposa un déplacement par rapport à l'axe de la nef centrale, du mihrab et du minaret, même si les dimensions finales de l'ensemble sont plus régulières. On peut apprécier à première vue la limite de la nouvelle oeuvre, qui ne fut en rien innovatrice. L'on aperçoit une uniformité presque "bureaucratique" dans l'exécution de

• VUE PANORAMIQUE DE LA MOSQUÉE

tous les éléments, aussi bien chapiteaux, colonnes comme les arcs avec les voussoirs de pierre calcaire peints en rouge et blanc. Les arcs ont des proportions plus réduites, réduites, d'adapter la nouvelle oeuvre à la préexistente. Pendant les réparations de la toiture au XVIII ème siècle, furent ajoutées des lucarnes qui éclairent cette partie de la mosquée, et dans la partie plus

orientale, on substitua le plafond de bois original par une voûte en berceau. Il dressa aussi sept nouvelles portes dans ce côté oriental, où, malgré la décoration très travaillée, on observe la décadence artistique.

•L'AUTOCRATE AL-MANSOUR
régent au début du calife Hisham II, assuma tout le pouvoir à son retour d'une campagne victorieuse contre les chrétiens du Nord, où il sema la terreur en l'an 981.

La Sculpture

La première mosquée compte près de 150 chapiteaux récupérés d'autres monuments wisigothiques et romains, matériaux de réutilisation qui représentent une formidable collection de styles des sept premiers siècles de notre ère. Leur facture est donc inégale, des corinthiens très élaborés d'époque classique et tardoromaine aux wisigothiques taillés maladroitement et simplement, mais pleins d'élégance ingénue: ce sont les célèbres chapiteaux de feuilles charnues (à gauche). Ils sont souvent composés, c'est à dire qu'ils se terminent aux quatre angles en volutes ioniques stylisées (en bas à gauche)

Pour le premier agrandissement (IX siècle), bien que l'on utilisa des chapiteaux préislamiques, onze autres furent taillés expressément dans les ateliers cordouans, qui pour des raisons d'unité, copièrent les précédents. Les cimaises sur lesquels ils reposent sont de provenance chritiano-wisigothique (17 au total pour cet agrandissement), avec la typique décoration géométrique et feuilles de vigne où apparaissent aussi des croix chrétiennes.

A droite l'autel wisigothique, auquel furent amputés les bras et l'élément supérieur, est exhibé dans le petit musée situé à l'intérieur de la mosquée.

Fréquemment, les chapiteaux réutilisés ont un diamètre inférieur aux colonnes qui les soutiennent.

A gauche base de colonne califale taillée selon le style des chapiteaux en forme de guêpier.

A gauche, colonne romaine de marbre blanc transparent, l'une des plus singulières, en raison de son fût cannelé.

La décoration, typiquement wisigothique, se compose de simples motifs géométriques répétitifs formant des rubans.

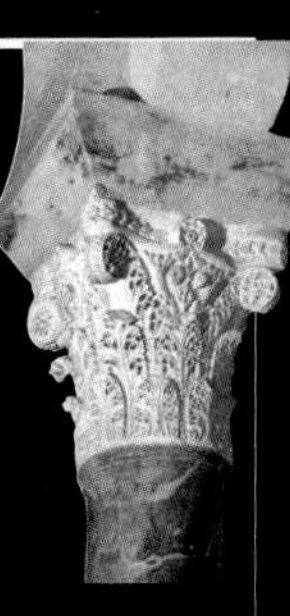

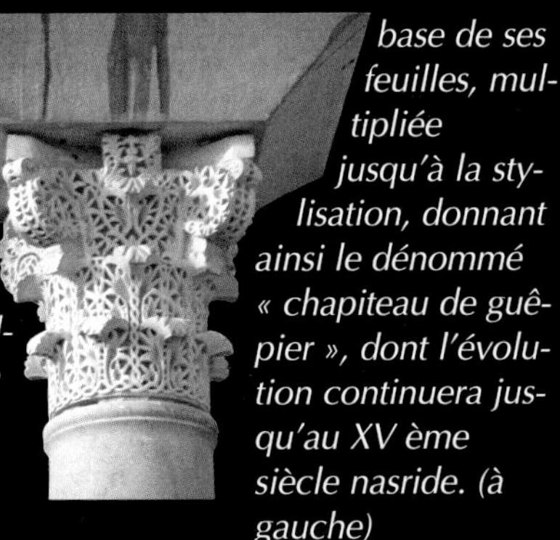

Du chapiteau corinthien romain serait dérivé le chapiteau califal (Xº siècle), très utilisé à Madinat al-Zahra, où la feuille d'acanthe insinuée ou schématisée est perforée à chaque base de ses feuilles, multipliée jusqu'à la stylisation, donnant ainsi le dénommé « chapiteau de guêpier », dont l'évolution continuera jusqu'au XV ème siècle nasride. (à gauche)

A droite deux des quatre colonnes de marbre noir et rouge de la Sierra de Cabra utilisées dans le premier agrandissement et réutilisées par al-Hakam II pour le mihrab définitif

A gauche, vue de l'une des nefs de l'agrandissement d'al-Mansour, où se répètent les schémas initiaux mais qui illustre la profondeur et la transparence obtenue avec la combinaison des arcades.

• **Intérieur d'un portique dans la cour des Orangers**

Le Sahn -la cour- fut délimité par des portiques comme dans la majorité des grandes mosquées, à l'exception du côté qui communique avec la salle de prières à travers 19 arcs. Dans quelques mosquées cependant, comme à Damas, ce côté est fermé, faisant que la lumière entre par les fenêtres ouvertes dans le mur de la quibla. Dans le cas de Cordoue et dans la plupart des mosquées, la lumière diffuse et rasante pénètre par les arcades nord dans le vaste bois de colonnes. Aucune mosquée ancienne n'a une salle de prière aussi profonde que celle de Cordoue. Ainsi, l'éloignement du mihrab a rendu nécessaire l'ouverture d'un lucernaire, qui éclaire la maqsura.
Il n'est guère facile de deviner de l'extérieur la variété des éléments qui forment l'édifice et l'assymétrie de sa disposition, en raison de l'agrandissement d'al-Mansour qui ajouta huit nefs vers l'Est et non pas des travées en direction du fleuve, ce qui fait que sa distribution intérieure est peu commune.

El Patio de los Naranjos y el Alminar

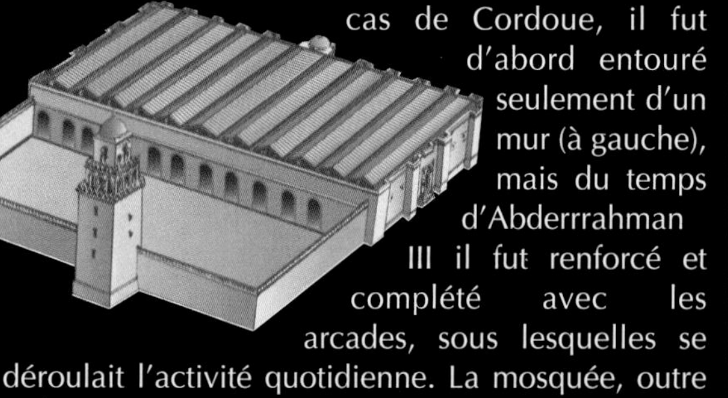

Le patio ou sahn est un élément fondamental de toute mosquée, le lieu où se trouve la fontaine pour les ablutions rituelles obligatoires. Dans le cas de Cordoue, il fut d'abord entouré seulement d'un mur (à gauche), mais du temps d'Abderrrahman III il fut renforcé et complété avec les arcades, sous lesquelles se déroulait l'activité quotidienne. La mosquée, outre un espace pour prier, est aussi l'équivalent de la place publique en Occident, centre de réunion où on peut s´arreter et discuter. Sous ces portiques, il y eut même un hôtel de la monnaie, avec toute son activité. *(En haut à gauche, reconstruction idéale de la première mosquée; à droite, ancienne carte postale de la cour, avant que ne soient découvertes les arcades au siècle passé).*

•Fenêtre du Minaret

Du côté Est-Ouest au X ème sècle, selon Félix Hernandez qui étudia le minaret. Une partie de celui-ci se trouve occulté dans l'actuelle tour.

•Le minaret.

Minaret signifie « lieu de la lumière ». C'est l'endroit d'où s'étend la Parole qui illumine l'âme comme la lumière dissipe l'ombre (M. Molina). On a beaucoup spéculé sur le deuxième minaret, celui d'Abderrahman III. Pour certains il était couronné de trois boules, d'autres avancent le chiffre de cinq. Il s'élevait à 47,5 mètres de hauteur. Le professeur Félix Hernandez, qui l'étudia en profondeur, nous laissa les dessins qui ont servi de modèle pour ces reproductions infographiques (gauche). Il est clair que sa forme et sa structure subsista dans nombre de minarets postérieurs y compris ceux de Marrakech, Rabat et la Giralda ainsi que dans bien d'autres, en clochers d'églises.

•La Cour des Orangers

C'est le sahn de la mosquée, délimité par trois portiques depuis la moitié du X siècle. Elle s'appelle ainsi parce que, après la conquête, les chrétiens plantèrent des orangers, là où auparavant il y avait d'autres arbres.

• En haut, Porte du Pardon et détails

Fréquemment, les portes dans les mosquées sont nombreuses, monumentales et décorées avec profusion, comme dans ce cas

• Le campanile

Comme dans la Giralda de Séville, Hernán Ruiz II ajouta au minaret un double corps pour les cloches et l'horloge en 1593 mais par la suite, en raison d'un tremblement de terre, on lui construisit une sorte "d'étui", qui est la partie émergente aujourd'hui et qui occulte le minaret. Plus tard, on ajouta le troisième corps, couronné par la statue du saint protecteur de la cité, l'archange Saint Raphaël. Le dernier aménagement conclut en 1763 et son style, de claire influence hérrérienne, s'harmonise avec le style Renaissance.

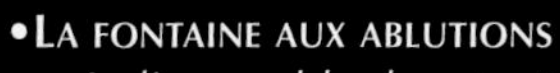

•La fontaine aux ablutions

Indispensable dans toutes les mosquées pour les ablutions obligatoires. Au départ, elle était alimentée par un puits qui se trouvait ici. Al-Hakam II fit amener l'eau de la Sierra par un aqueduc qui alimentait une citerne, agrandie par al-Mansour et qui contenait 600.000 litres.

• La Porte de Saint-Stéphane

Ci-dessous. La porte de Saint Stéphane (855) suit le modèle dicté par le premier architecte mais elle apporta une décoration où se mêlent les influences oméyyades et wisigothiques. On inventa ici aussi les meneaux et les créneaux échelonnés.

Tout cela constitue des apports cordouans qui firent école.

L'ARCHITECTURE DE LA FAÇADE EXTÉRIEURE.

La grande mosquée cordouane réussit dans la façade extérieure un modèle de porte caractérisée par une harmonieuse disposition de tous ses éléments architectoniques et décoratifs. A l'origine, dans le primitif édifice il y avait quatre portes de chaque côté, bien que l'on n'en conserve qu'une seule, la Porte de Saint Stéphane ou de Saint Sébastien, qui donnera lieu au modèle typiquement cordouan de porte flanquée de

contreforts, selon une composition tripartite qui représente par sa monumentalité et richesse décorative une oeuvre exceptionnelle et inédite. Selon le professeur Torres Balbas, il faudrait remonter à des édifices romains des l'époque tardive, comme la "Porte dorée du Palais de Dioclétien", à Spalato (Dalmatie) pour deviner des antécédents.

Les quatre façades extérieures, qui comptent au total 12 portes, ceignent une superficie d'environ 22.400 mètres carrés. Le modèle des portes de la façade occidentale appartenant à l'agrandissement d'al-Hakam II fut réalisé en conciliant la composition tripartite de la Porte de Saint

• **DÉCORATION DE FENÊTRES EXTÉRIEURES.** *Les motifs géométriques réitératifs à l'infini sont une métaphore de l'éternité. Il s'agit de formules élaborées à partir d'opérations mathématiques, multiplications et divisions, de rotation et de distribution symétrique.*

Stéphane, le très élégant entrecroisement des arcs, l'alternance des voussoirs, la variété décorative et le net et saillant tracé des encadrements des arcs. Les corps supérieurs sont formés d'arcs outrepassés entrecroisés et de fenêtres lobées. La décoration végétale et géométrique est

• **CLAUSTRA DE MARBRE SUR LA FAÇADE DE LA PORTE DE SAINT STÉPHANE.** *Il s'agit de l'élément décoratif extérieur le plus ancien qui se conserve.*

• Arcs entrecroisés. *Au dessus des portes, se développent des frises richement décorées, avec des arcades entrecroisées sur des petites colonnes de marbre. Au mur, s'alternent les motifs géométriques de briques avec des croix et des pampres ciselés dans la pierre. Les chapiteaux traités au trépan évoquent l'art byzantin. Ils soutiennent de fortes impostes qui reçoivent la chute des arcs saillants. A droite, détails de la Porte d'al-Hakam II et de Saint Michel.*

semblable à celle du mihrab et la marqueterie de pierre et de brique semblable aux sols utilisés à Medina al-Zahra. Les jalousies (moucharabiyeh) reflètent des influences byzantines qui déterminent les éléments fondamentaux de ce modèle bien que les portes furent exagérément restaurées au début du XX ème siècle par Ricardo Velázquez (en

haut), produisant des altérations considérables dans les parties supérieures et introduisant même dans les textes épigraphiques de très douteux anachronismes.
La porte principale du temple se trouve sur le côté Nord, "la Porte du Pardon", de claire influence almohade. Dans la façade occidentale, de nombreuses portes ont souffert

• La décoration. *Les portes latérales de la grande mosquée présentent une décoration caractéristique: arcs légèrement saillants, avec de grands claveaux qui encadrent des fenêtres polylobées, dotées de claustras en marbre. En haut, Porte de Saint Michel. A droite, Porte de al-Hakam II.*

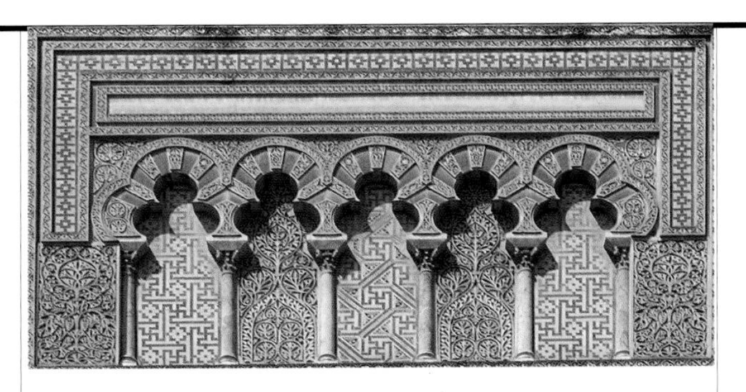

des altérations importantes durant le XVI ème siècle, facilement identifiables comme des ajouts chrétiens. Se distinguent la Porte de Saint Stéphane déjà décrite et celle de al-Hakam II. La plus proche du fleuve était une petite porte qui donnait accès à un passage sur arcade, communiquant la mos-

•**Colonnes milliaires.** *Il s'agissait des bornes sur les voies romaines.*

•**Hypothèse de L. Golvin. reconstruction de la porte du "Sabat" d'al-Hakam.** *Il s'appuie sur la théorie d'un passage au dessus de la rue, s'appuyant sur cinq arcs et possédant cinq salles à l'intérieur.*

•**Façade orientale;** *du temps d´Al-Mansour*

• **COLONNE MILLIAIRE.** •**FAÇADE ORIENTALE OU D'AL-MANSOUR.**
A droite, apparaissent les six portes restaurées au début du XX ème siècle.

•**PERSPECTIVES DE LA FAÇADE OCCIDENTALE.**
Au premier plan, porte du Postigo de Palacio.

•**INSCRIPTION D'ABDERRAHMAN III**
qui se trouvait à côté de l'arc des Benédictions.

quée au palais des califes. Selon les témoignages de Ibn Hajjan (907-1076), il existait un passage surélevé connu sous le nom de "Sabat", qui unissait la mosquée au palais. Il ressemblait à un pont couvert qui reposait sur un ou plusieurs arcs, s'adaptant au dénivellement de l'actuelle rue Torrijos. Il disparut au moment de l'agrandissement de la mosquée d'al-Hakam II, qui fit dresser un nouveau passage, conservé jusqu'en 1622, quand fut réformé le Palais Episcopal.
Toute la façade orientale originale fut détruite par al-Mansour, avec ses portes datant de l'époque d'al-Hakam II. Une seule, la Porte du Chocolat, montre encore des restes importants à l'intérieur de la mosquée, d'où l'on peut apprécier la beauté de sa décoration végétale et géométrique et la marqueterie. Bien qu' al-Mansour ne lésina pas sur les moyens pour la nouvelle oeuvre, il se limita à

• **Hypothétique reconstruction.** *d'une porte de la façade occidentale de la mosquée avant sa restauration par V. Bosco.*

copier ce qui existait déjà, aussi bien à l'intérieur que dans les six élégantes portes qui suivent les modèles d'al-Hakam II, mais avec une exécution plus pauvre. La nouveauté consiste dans l'incorporation d'arcs *outrepassés (geminados),* qui avaient surgi dans le minaret d'Abderrahman III 70 ans auparavant.

• **Gravures de Girault de Prangeey** *XVIII ème siècle. A gauche, façade occidentale et détails des portes avant les restaurations.*

•**Porte du Saint Esprit** *(à gauche). Elle fut totalement remodelée par Velazquez Bosco.*

LA CATHÉDRALE DE CORDOUE

La christianisation de la Mosquée après la conquête de la ville (1236) ne supposa aucune altération substantielle de l'édifice. Cependant, en 1523, l'évêque Alonso Manrique, oncle de l'empereur Charles V, obtint de ce dernier l'autorisation pour la construction de la nef gothique en son intérieur. L'empereur s'en repentira plus tard, en la visitant lors de son voyage de noces. Mais les travaux continuèrent pendant presque un siècle sous la direction des deux Hernán Ruiz (I et II) et Juan de Ochoa. L'achèvement définitif ne se produisit qu'en 1766 et logiquement les goûts changèrent au cours de ce long intervalle. Hernán Ruiz proposa la transition vers la Renaissance. La Cathédrale recèle ainsi des oeuvres du plateresque et du plus riche

•**COUPOLE.** *Vue de la coupole ovoïdale du transept de style hérrérien, supporté par la structure*

CANTIGUES D´ALFONSE X EL SAGE, *à gauche. En haut, détail d´un livre de choeur.*

•**GRAVURE DE LA CHAPELLE ROYALE.** *et vue de la Cathédrale à l'intérieur de la mosquée.*
En bas, tête de lion qui appartient à l'un des pupitres réalisés par Miguel Verdiguier.

baroque, déjà « churrigueresque ». Le Sanctuaire est un exemple de ce mélange : les arcs de la croix latine sont gothiques, en revanche les voûtes de la nef centrale et du transept sont « hérrériennes ».
Le retable (1618) est du maître jésuite Alonso Matías, fait de marbres rouges et jaspes provenant des villes proches de Carcabuey et de Cabra, qui servent de cadre aux peintures de Palomino. Il faut mentionner tout spécialement les deux chaires de Verdiguier sculptées sur du bois d'acajou, soutenus par les symboles des quatre évangélistes, taillés en pierres de couleurs différentes (en bas à gauche, le lion de Saint-Marc en jaspe rouge). Mais surtout, il faut

•**COUPOLE MUDÉJAR ET ARC POLYLOBÉ** *à la Chapelle Royale*

•En haut, schéma des chapelles à l'intérieur de la Cathédrale.

citer l'oeuvre du Choeur, réalisée en acajou d'Inde par Duque Cornejo vers la moitié du XVIII ème siècle. L'artiste y traite magistralement toute une anthologie de thèmes bibliques et le martirologue cordouan. Au milieu des stalles uniformes se détache la chaire épiscopale (à droite) où la rhétorique baroque déploie toute sa force et se remplit de sens : l'Ascension du Christ entre les apôtres couronné par l'archange Raphaël, patron de la ville, en présence de Sainte Thérèse et Marie Madeleine, dont les vies exemplaires recouvrent un grand protagonisme doctrinal. La Cathédrale contient aussi plus de cinquante chapelles, souvent adossées aux murs. Parmi elles, il faut citer celle du Cardinal Salazar, appelée aussi de Sainte Thérèse du fait d'être présidée par la magnifique sculpture de José de Mora. Il ne faut pas oublier la Sacristie, la Salle Capitulaire, de tracé typiquement baroque, octogonale et décorée par Hurtado Izquierdo, autre des derniers grands maîtres du baroque, avec Duque Cornejo et Palomino, qui réalisa les peintures. A côté de celle-ci, se trouve la chambre du Trésor avec sa pièce maîtresse, le fameux ostensoir d'Enrique Arfe, du début du XVI ème siècle, réalisé en style gothique. Il mesure 2,63 m. et pèse plus de 200 kilos. Parmi les nombreux et précieux objets du culte, figure un crucifix d'Alonso Cano et un autre du XIII ème siècle.

• **Les stalles du choeur.** *C'est l'oeuvre la plus importante de Pedro Duque Cornejo y Roldán. 109 chaires taillées en bois d'acajou provenant de Cuba et de Saint-Domingue. Son plan est rectangulaire, couronnant l'ensemble un fronton très élevé, où l'on trouve le trône du prélat (en haut à gauche), surmonté par l'image de Saint Raphaël, patron de la ville. Sur cette page, divers détails du choeur.*

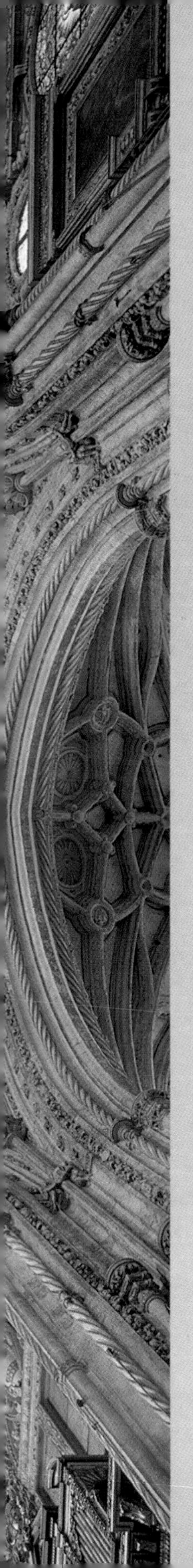

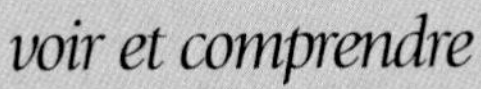

Cordoue

Les patios de Cordoue
Le quartier de la Judería
Autres lieux d'intérêt
Les musées de Cordoue

•Fête des Patios et des Croix.
Le 3 mai se célèbre à Cordoue la fête des Croix qui remplit la cité de retables fleuris. La semaine suivante, se célèbre la fête des patios. Le mieux décoré gagne un prestigieux prix. Quelques jours après, sans répit, a lieu la Feria de Notre Dame de la Salud.

Les patios de Cordoue

Le Megaron grec ou l'atrium romain étaient les espaces ouverts à l'intérieur des maisons que les arabes adoptèrent comme espace autour duquel s'articulent les salles et toute la vie familiale. Leurs maisons s'ouvraient sur le patio intérieur alors qu'elles étaient dépourvues des façades classiques

•Les éléments les plus importants
étaient la fontaine ou le puits et les plantes, mais à travers les siècles le patio se transforma, en s'enrichissant de grilles, de lanternes, de céramiques et surtout de pots de fleurs, véritables jardins suspendus qui le remplissent de vie et de couleur.

• **Les fontaines.**
La fontaine dans le patio est l'oasis et le refuge pendant les étés torrides de Cordoue. Le clipotis de l'eau est la mélodie la plus douce au milieu du silence.

•**Les patios cordouans,** *héritiers des patios califaux ont aussi des portiques qui fournissent de l'ombre, permettant de réguler la température naturellement. Il existe beaucoup de patios traditionnels situé dans les quartiers de San Lorenzo, la Judería et San Basilio.*

Ce qui à l'origine était un espace pour l'intimité de la vie familiale devint avec le temps le centre de la vie sociale dans la maison de rapport cordouane. Le pot de fleur, invention orientale des nomades du désert, qui pouvaient ainsi transporter un morceau de nature vive comme un bien mobilier, se convertit par sa proximité en protagoniste de la décoration du foyer. Il est placé en fonction de l'ombre créée par la treille de vigne omniprésente ou les arbres fruitiers.

• La couleur
La chaux, réflecteur solaire, est la couleur dominante qui sert de toile de fond où pendent les ornements et les fleurs. Dans cette double page, quelques uns des patios les plus populaires.

Le patio de Cordoue est devenu le symbole et le point d'orgueil de la cité, mais il a subi de logiques transformations au fil du temps. Aujourd'hui par exemple, ce n'est plus un espace infranchissable jalousement fermé aux étrangers. Il dévoile ses charmes au passant curieux, situé au fond d'étroites ruelles et isolé seulement par de belles grilles au goût Renaissance ou baroque.
Aux éléments originaux et essentiels s'ajoutent des objets décoratifs qui ne sont pas ostentatoires, représentants du bon goût populaire.

•Synagogue, XIV ème siècle.
Une des trois conservées en Espagne. Ci-dessous, la Menora, candélabre symbole du judaïsme.

•Maïmonides
Grand penseur hispano-juif. A 23 ans il quitta al-Andalus et se réfugia à Fès. Il mourut au Caire le 13 décembre 1204. Sa statue se trouve dans le quartier de la Judería. En haut et a droite, sa Tombe dans le Lac de Tiberiades.

Le quartier de la Judería

Des témoignages datant à partir du III ème siècle de notre ère nous parlent des établissements juifs en Espagne, des persécutions que souffrirent ces communautés sous les wisigoths et des alliances avec les musulmans après la conquête. Mais ce fut au X ème siècle quand ils jouèrent un rôle prépondérant dans l'organisation du califat comme administrateurs, commerçants, médecins et haut-fonctionnaires. Le tolérant calife al-Hakam II, se définit lui-même comme Seigneur des trois religions. A Cordoue, comme dans toutes les villes médiévales, les juifs habitaient dans des quartiers spécifiques qui devaient être très étendus et importants, en raison de leur proximité au centre du pouvoir et à la muraille. Ce qui nous est parvenu de la Judería, bien que considérablement réduite, est un ensemble de ruelles labyrinthiques aux murs chaulés qui se prolongent en passages ombragés, en patios et places, qui conservent encore une structure similaire à celle d'époque califale.

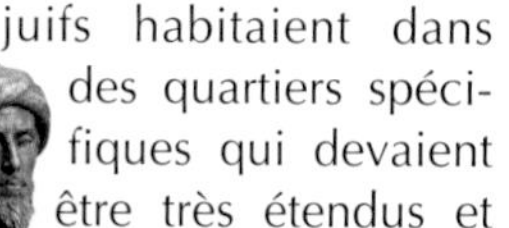

En haut, monument a Maïmonides a Tiberiades.

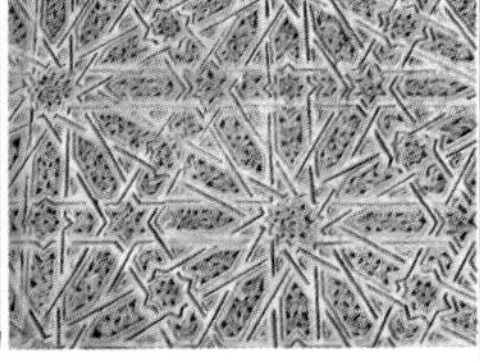

• LA SYNAGOGUE

Elle se trouve discrètement au milieu de la rue Judíos et l'on y accède par un petit patio et un narthex contigu situé sous la tribune réservée aux femmes. Elle fut construite sous le règne d'Alphonse XI (1315), marqué par la tolérance. De style mudéjar, elle est décorée par de stucs où se lisent la forte influence de l'art nasride. Au sein de cette communauté cordouane, naquit et se forma le plus grand théologien du judaïsme, compilateur de la Torah qu'il résuma en treize principes: Ibn Maymoun (1112-1185), plus connu sous le nom de Maïmonides.

• DÉTAILS DE L'INTÉRIEUR DE LA SYNAGOGUE DE CORDOUE, XIV ÈME SIÈCLE.

Les inscriptions sur les stucs mudéjares démontrent que les communautés juives adoptèrent souvent les modes et les styles du lieu et de l'époque.

•**BAINS ARABES** *d'époque califale de la rue Velazquez Bosco (Ci-dessus).Ci dessous, Eglise de San Bartolomé.*

AUTRES LIEUX D´INTÉRÊT

Un des principaux attractifs de la ville consiste à se laisser surprendre par ses recoins, patios et placettes, en se promenant dans le labyrinthe de ruelles qui entoure la mosquée et dont le tracé suit de loin la chaotique structure urbaine de la période musulmane. En effet, dans la médina islamique, ce sont les rues qui surgissent en fonction des maisons et non pas le contraire. Muñoz Molina dit que "ses ruelles paraissent faites à la mesure du voyageur indolent, et son tracé courbe gradue les plaisirs de la promenade et de la contemplation..." La Calleja de las Flores (en bas) est une bonne synthèse des parfums et couleurs, d'où l'on aperçoit, entre géraniums et balcons, le clocher de la Cathédrale. L'attenante Calle Comedias fut le siège du théâtre cordouan du XVI ème siècle. Tout près se trouve la rue San Fernando et la rue de la Féria, "avenue" plantée d'orangers avec une fontaine baroque et l'Arc du Portillo

•**DÉTAIL DE L'ÉCUSSON DE LA PLACE DES FLEURS.**

qui s'ouvre sur la rue Cabezas, celle des Infantes de Lara. La vue saura apprécier la paisible promenade à travers les évocatrices rues Luna, Bailío, Fuenseca, Lagunilla, Judíos et Hoguera, ou Rincones de Oro avec sa minuscule placette. De l'autre côte du Pont Romain, d'une longitude de 240 mètres par où passaient la Voie Augusta, se dresse majestueuse la Tour de la Calahorra, construite par Alphonse XI presque un siècle après la Conquête, à l'emplacement d'une ancienne forteresse arabe, comme l'indique d'ailleurs son nom. Henri II, le premier Trastamara, lui ajouta une tour en 1369, durant la fratricide guerre civile contre son demi-frère Pierre I le Cruel. Elle héberge actuellement le Musée des Trois Cultures, qui abrite maquettes et expositions.

•**Le Pont Romain,** *reconstruit plusieurs fois depuis l'époque arabe repose encore sur les fondations romaines originales. En son centre, la ville érigea en 1651 un monument à son patron l'Archange Saint Raphaël, qui selon la tradition, délivra la ville d'une épidémie de peste. (ci-dessous, photo de Lewis, 1891).*

• AVERROËS.
Auteur de traités de médecine, mathématiques, astronomie, éthique et en particulier de philosophie, dont l'influence sur la pensée universelle est fondamentale.

LES MURAILLES.

construites sur les ruines de l'enceinte romaine, avait un périmètre de 22 km et entouraient une superficie de 5000 hectares dans les dernières années du califat. Sept portes communiquaient la Médina aux voies du Califat: celle du Pont, Nueva, Toledo (traversée par la voie Augusta qui menait à Rome), Osario ou de Judíos, Nogales, Gallegos, Sevilla. Cette dernière et celle d'Almodovar, où ont été installées les statues d'Averroès (gauche) et de Sénèque, s'ouvrent encore dans la muraille.

L'ALCAZAR

A côté de la Mosquée et sur des restes romains et arabes, Alphonse XI ordonna construire en 1328 cet Alcázar appelé des Rois Chrétiens, pour le distinguer de ceux utilisés par les princes musulmans. Il s'agit d'une forteresse de plan carré, avec des tours dans les angles, structurée autour d'une longue galerie qui abrite de précieuses pièces archéologiques. Parmi celles-ci, il faut citer un sarcophage romain du III ème siècle, très bien conservé avec des portraits des défunts accompagnés par

De la grande muraille médiéval, il subsiste de pans.

leurs esprits protecteurs (ci-dessous). Dans le grand salon de mosaïques, est exposé celui de Polyphème et de Galatée (II

ème siècle, ci-dessus), fameux pour ses magnifiques chromatismes, ainsi que des bas-reliefs de belle facture (ci-dessus à droite, Pégase).

•LE MUSÉE DE L'ALCAZAR

On peut y contempler diverses pièces d'époque romaine et une collection de mosaïques "opus teselatum", découvertes dans le sous-sol de l'actuelle Place de la Corredera. On peut également admirer les anciens bains à vapeur d'époque islamique, très bien conservés et la cour mudéjar.
Complètent la visite les jardins, de tradition arabo-andalouse, où l'on peut admirer des espèces caractéristiques de la flore locale.

L'ALCAZAR DES ROIS CHRÉTIENS, construit au début du XIVè siècle, occupe les espaces des résidences royales anciennes, là même où vécurent César (en 65 av. J.C.) ou les émirs et califes cordouans. Au Moyen-Âge, la plupart des rois castillans n'avaient pas leur propre palais ou de résidence stable, et c'est peut-être pour cette raison que la lignée des Trastamara agrandirent et aménagèrent cet alcazar (palais), jusqu'à ce que les Rois Catholiques le réformèrent définitivement pour le convertirent en leur quartier général durant les dernières années de la guerre de Grenade. Entre ses murs, naquit leur fille Marie, future reine de Portugal. C'est également ici que fut emprisonné Boabdil, l'ultime sultan de Grenade. On y célébra des corridas en honneur du prince Don Juan du temps où Gonzalo Fernández de Córdoba, le Gran Capitán, était à l'honneur dans la cour royale.
En 1486, Christophe Collomb passa par ici, pour y montrer pour la première fois son projet américain aux Rois Catholiques, bien qu'il tarda sept années pour convaincre Isabelle. A partir de 1482, l'Alcazar fut siège du tribunal de l'Inquisition, jusqu'à sa disparition en 1821. Il servit ensuite de prison et de caserne jusqu'à la moitié du XXè siècle. C'est en effet en 1951 qu'il est aménagé en musée et centre pour des évènements publics. Ainsi, le Patio Mudéjar fut restauré, et surtout les jardins, actuellement les plus beaux de la ville, authentique havre de paix hanté par bien des figures historiques.
(A gauche, fontaine des jardins)

• **TRIOMPHE DE SAINT RAPHAËL**
(à droite)
•**LA TOUR DE SAN NICOLÁS DE LA VILLA**
Sous ces lignes Une des tours emblématiques de Cordoue, datée de 1496 et utilisée comme symbole pour représenter la ville à l'exposition universelle de Séville de 1929.

•**TEMPLE DE CLAUDIO MARCELO**
(ci-dessous). L'a-bondance des vestiges romains nous donnent une idée de l'importance qu'avait Corduba, la capitale de la province romaine de la Baeti-ca. A droite, la Porte du Pont.

LA PORTE DU PONT.
Elle substitua en 1571 la porte qui faisait partie des murailles.
Philippe II chargea Hernán Ruiz II de la construire, dans le plus pur style Renaissance.

LE TRIOMPHE DE SAINT RA-PHAËL, patron de la ville, préside depuis des siècles les espaces publics les plus importants (et aussi privés, sans compter le stade de football), comme expression de la dévotion populaire pour l'archange, qui, selon la tradition, délivra Cordoue de la Peste en 1651. Le plus spectaculaire de ces monuments (ci-dessus), fut dressé entre la Mosquée et le pont Romain, et fut exécuté par Verdiguier à la fin du XVII ème siècle sur un piédestal représentatif de l'exaltation propre du baroque, surmonté par une svelte colonne et la figure de l'archange.

TEMPLE DE CLAUDIO MARCELO.
Au coeur de la ville (à gauche), se dressent solitaires les colonnes recom-

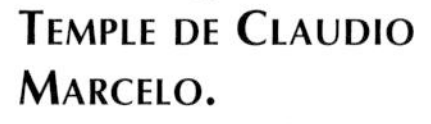

•**JARDINS DU PALAIS DE VIANA (CI-DESSOUS).** *Ils se composent de plusieurs patios. La richesse et l'exubérance de la flore rivalise avec la variété des collections de cuirs de Cordoue, d'azulejería (carreaux de faïence), de mobilier. A gauche, la façade principale.*

posées de ce que fut le temple romain qui porte le nom du fondateur de la colonie, et qui, à partir du Ier siècle, fut dédié à l'empereur Auguste divinisé.

L'ÉGLISE DE SAN LORENZO. Après la conquête chrétienne en 1236, le roi Ferdinand III organisa la nouvelle cité chrétienne en 14 paroisses qui reçurent le nom de fernandines, chacune avec son église. Parmi celles-ci, se distingue celle de San Lorenzo (ci-dessous). Elles s'inscrivent toutes dans la période de transition du roman au gothique, conservant encore cette aspect de forteresse caractéristique de l'art roman.

LE PALAIS DE VIANA. Prototype de demeure seigneuriale cordouane, elle date du XVI ème siècle. On ne peut visiter Cordoue sans admirer ses patios et ce palais en contient douze, ainsi qu'un jardin, un des plus anciens de la ville. Il abrite en outre

• **A GAUCHE, ÉGLISE DE SAN LORENZO**

•**PATIO DU PALAIS DE LA DIPUTACIÓN,** *ancien couvent de la Merced. A côté de la Place du Christe des Lanternes.*

•**LA TOUR DE LA MALA MUERTE.** *C'est une tour albarrane unie à la muraille au XV ème siècle, qui doit son nom à une tragique légende de jalousies amoureuses.*

•**HÔPITAL DE SAN JACINTO.** *(à droite) Autrefois appelé Hôpital de San Sebastián. XVI ème siècle.*

une riche collection de céramique et surtout de beaux objets d'argenterie en filigrane, importante industrie à Cordoue.

LE PALAIS DE LA MERCED. Il s'agit aussi d'une fondation fernandine, qui fut cependant totalement reconstruite en 1757, en style baroque, comme bien d'autres édifices de la ville. Sa façade fut peinte voici trente ans, mais le beau patio (ci-dessus), l'escalier et surtout l'église qui abrite le meilleur retable cordouan représentent l'expression la plus aboutie de l'art baroque à Cordoue. Il est aujourd'hui le siège de la Diputación Provincial (équivalent plus ou moins du Conseil Départemental)

PALAIS DES CONGRÈS (ci-dessous). C'est l'ancien Hôpital

•**LA PLACE DE LA CORREDERA** *(ci-dessus). Autrefois, il s'y déroulaient les corridas, les autodafés, les pièces de théâtre, etc. Réhabilitée comme centre urbain, s'y tiennent les marchés populaires.*

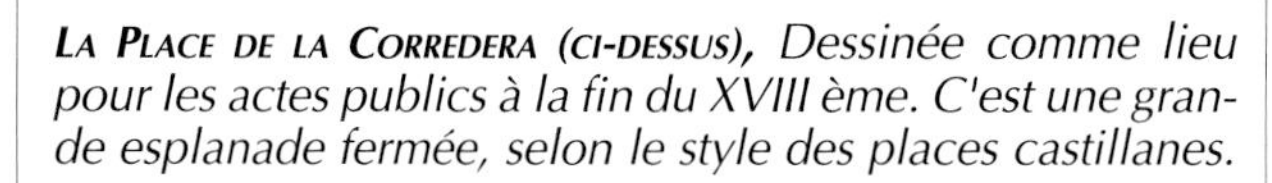

LA PLACE DE LA CORREDERA (CI-DESSUS), *Dessinée comme lieu pour les actes publics à la fin du XVIII ème. C'est une grande esplanade fermée, selon le style des places castillanes.*

•**PATIO DEL ZOCO (DU SOUK),** *ci-dessous, un des endroits les plus significatifs du quartier de la Judería.*

de San Sebastián, situé en face de la Mosquée, dont les travaux furent dirigés par le premier Hernán Ruiz, selon le style du gothique flamboyant (ou isabellin). Les parties les plus importantes sont le cloître et les constructions qui l'entourent.

•JULIO ROMERO DE TORRES. (1874 - 1930).
Considéré par beaucoup comme le meilleur peintre de la femme andalouse, sa peinture a aussi été critiquée par ceux qui pensent que sa maestria technique reflète les clichés les plus tenaces sur une Espagne tragique et mystérieuse. L'audace de ses thèmes, et en particulier ses nus d'un grand réalisme, suscitèrent quelques scandales, comme par exemple le bannissement de son tableau Vividoras del amor de l'exposition des Beaux-Arts en 1906.

LES MUSÉES DE CORDOUE

Situés dans la célèbre place du Potro proche de la mosquée, on trouve les deux principaux musées de la ville.: le Musée Julio Romero de Torres, curieusement le plus visité de la ville, fut en réalité l'atelier du peintre. On y entre par un patio-jardin qui donne également accès au musée des Beaux-Arts. C'est une maison-musée, où aussi bien le contenant que le mobilier rendent l'atmosphère bourgeoise du tournant du siècle. Il contient quelques unes des ses

célèbres oeuvres, telles "La nièce de Trini", "Oranges et citrons", "Cante jondo", "La chiquita piconera", "le péché", etc. Dans les salles basses sont exposées des reproductions photographiques d'autres de ses oeuvres

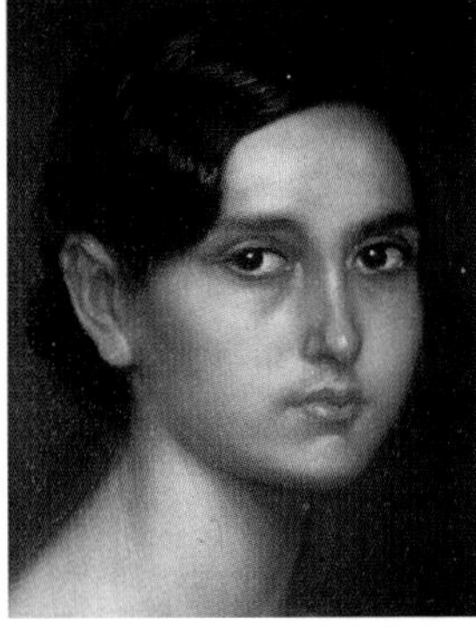

• Ci-dessus, toiles de Julio Romero de Torres.

Le Musée Provincial des Beaux-Arts. Situé également dans l'ancien hôpital de la Charité qui conserve son portique Renaissance.

Il contient des oeuvres qui vont du gothique tardif au contemporain, en passant par Antonio del Castillo, Valdés Leal, Zurbarán, Rusiñol ou Zuloaga.

La Place du Potro C'est une place allongée, au caractère seigneurial avec une fontaine surmontée par l'arçon qui lui donne son nom. Elle est aussi délimitée, outre par les musées, par la fameuse auberge du Potro (double page suivante), datant de 1435. Cervantes l'immortalisa dans Le Quichotte, quand il était le centre de la picaresque.

Musée Diocésain des Beaux-Arts. Situé dans l'ancien Palais Episcopal, il recèle une intéressante collection de sculptures et de peintures des XIII et XV ème siècles, ainsi que des oeuvres d'artistes cordouans plus récents.

•Tableaux du Musée des Beaux-Arts

•Patio du Palais Episcopal.
A droite, toit du Palais de l'Archevêché.

Musées des Arts Populaires et Taurin. Il est situé dans la place de Maïmonides, dans une élégante demeure du XVI ème siècle. Il possède une grande variété de patios, parmi lesquels se distingue celui de l'entrée (gauche). Il donne à voir, outre de nombreux souvenirs de grands toreros cordouans, une intéressante anthologie de l'artisanat cordouan.

•Patio du Musée Taurin.

Le Musée Archéologique Provincial. Après le Musée National à Madrid, c'est le plus important du pays. Situé dans un palais Renaissance avec une splendide façade, il constitue le cadre parfait pour l'exposition divisée en deux étales: le premier, y compris les patios-jardins, est consacré aux collections préhistoriques, romaines et wisigothiques, avec d'intéressantes pièces en céramique, et des sculptures ibériques, mosaïques, haut-reliefs et sarcophages romains, dont la fameuse tête de Druse. Par l'impressionnant escalier principal, couvert d'un plafond en bois mudéjar on monte à l'étage qui abrite les très riches pièces d'époque musulmane et mudéjar. Là, sont exposés des boiseries qui décoraient la mosquée, la plus importante collection de margelles de puits, petits braseros de pierre, la fameuse bouche de fontaine en forme de cerf (à gauche) du X ème siècle provenant de Madinat al-Zahra, toute une anthologie de l'artisanat califal fondamentalement ainsi que des éléments architecturaux et décoratifs comme bases, impostes, stucs, chapiteaux, etc.

•Petit cerf en bronze de Madinat al-Zahra (X ème siècle). Musée Archéologique

voir et comprendre

Cordoue

La Province de Cordoue

Medina Zahara

• Sierra de la Horconera
Fermes blanches entre oliviers mouchettent de blanc les chemins qui vont de Priego à Rute et Iznájar.

• Patios et rues de Priego de Cordoue
Le quartier de la Villa est un petit labyrinthe de rues ornées de fleurs et de belles grilles, un des rares endroits où se donne à voir l'authentique architecture populaire.

La Province de Cordoue

Au nord de la province de Cordoue se dresse le massif de la Sierra Morena, où dominent les forêts de chêne vert, refuge d'un réputé cheptel ovin et surtout porcin, avec lequel on élabore de savoureuses charcuteries qui portent le sceau du "cerdo ibérico", prodige de la nature, garde-manger qui approvisionne les sécheries de Jabugo, de Guijuelo et même de la voisine Estrémadoure. C'est un des côtés du triangle de la "bellota" (le gland du chêne dont se nourrit le cochon), triangle qui va jusqu'à la province de Huelva et remonte, à travers les pâturages d'Estrémadoure, jusqu'aux montagnes de Salamanque.
Les villages jouissent d'une grande renommée, comme Fuente Obejuna ou Pueblonuevo Peñarroya sur les haut-plateaux, Pozoblanco et Hino-

• Façade de l'Eglise de la Asunción à Priego.
A droite, Eglise de la Aurora.

•**Les fêtes de la Croix de Mai et du Corpus** *(ci-dessus) offrent à Priego l'occasion d'orner de fleurs son quartier de la Villa. En son sein, la Paroisse de Nuestra Señora de la Asunción a été déclarée Monument national en 1932 pour sa chapelle du Sagrario, dont la coupole du XVIIIè siècle (à gauche et page suivante) est un chef d'œuvre du baroque.*

josa dans la région des Pedroches.

Le centre de la province est traversée par la vallée du Guadalquivir, où se succèdent les villages, de Montoro à Palma del Río; c'est la Campiña cordouane, verte et lumineuse au printemps et aux couleurs enflammées avec le tournesol et le coquelicot en été. Le Sud-est est dominé par le massif de la Subbética, parc naturel entouré des chaînons des Sierras de Horconera, Alcaide, Baena et Rute. Ces hautes terres sont délimitées par des villages comme Luque, Baena, Doña Mencía, Cabra, Rute, Iznájar et Priego de Cordoue. Cette région, où l'on produit une excellente huile d'olive au goût de montagne, est une continuation des monts de Jaén et de Grenade, un des paysages abrupts les plus beaux d'Andalousie.

A l'ouest, entre la Campiña et l'olivier, entre Lucena et Puente Genil,

•**Château de Zuheros** *Fondé durant l'Emirat oméyyade (IXè siècle), il se dresse, plein de défi (ci-dessus), comme le château de Luque, plus moderne (ci-dessous).*

•Le barrage de Iznájar. *Le fleuve Genil fertilise le sud de la province.*

sur les terres blanchâtres et ondoyantes de Montilla pousse, à perte de vue, la vigne, d'où l'on extrait les fameux vins blancs, fruités ou généreux, secs ou doux, mais toujours caractéristiques, de Montilla-Moriles. Cette dénomination d'origine s'étend sur plusieurs communes comme

•L'artisanat du cuir
Depuis l'époque califale, il existe une importante tradition de l'artisanat du cuir, connu comme "Cordobán", qui a survécu grâce aux bourreliers et aux selliers.

Montemayor et grimpent les collines où se dressent des villages comme Monturque et Espejo, dominés par leurs châteaux, témoins de leur passé belliqueux et de leur ancienne importance stratégique.
Outre Priego, avec son important patrimoine artistique accumulé au cours des XVIIIè et XIXè siècle grâce au boom provoqué par l'industrie de la soie, il existe des bourgs industrieux et prospères qui assoient leur activité sur leur tradition artisanale et ne connaissent pas le chômage, comme Lucena (ci-dessus, Eglise de San Mateo) ou Iznájar (ci-dessus à gauche)

•Vue de Baena

•La Campagne cordouane

Les suaves collines qui s'étendent à perte de vue vers le sud de la province forment un paysage ondoyant et sensuel, teint de mille verts en hiver et au printemps, tandis que la course des nuages rend plus vif ses contrastes. Le blé jaunit en mai puis, les couleurs s'enflamment, avec les coquelicots et les tournesols. Plus au sud, la terre prend des tons blanchâtres, et son sang se convertit en sève de vignes généreuses qui grimpent jusqu'aux sierras du sud-est, où dominent en seigneurs les oliviers argentés. Citons le poète Antonio Machado :
« Champs, champs, champs,
et entre les oliviers
les blanches fermes ».

•Château de Belalcázar

•L'olivier. *Cela fait plus de 25 siècles que l'olivier prospère dans ces parages. Actuellement, Baena, avec 32.000 hectares et Priego forment les deux districts dont la production contrôlée par la dénomination d'origine, après avoir affiné variétés et techniques, se trouvent en tête de la qualité mondiale.*

Parmi tous ces bourgs agricoles, Baena (page précédente) s'est distinguée dans les dernières années du XXè siècle pour avoir su adapter l'élaboration et la commercialisation de ses produits, comme l'huile d'olive considérée comme l'une des meilleures sur le marché mondial et, dans une moindre mesure, ses vins. L'olive et la vigne, qui avec le blé forment la triade méditerranéenne, acquièrent dans cette région des sommets de qualité qui sont une référence pour le reste des exploitations oléicoles et vinicoles dans tout le bassin méditerranéen, jusqu'au Proche-Orient. Connue comme la "vile de l'huile", Baena est aussi fameuse comme "la ville des tambours". En effet, pendant la Semaine Sainte, les confréries qui regroupent plus de 2000 membres rivalisent en joutes assourdissantes qui consistent à battre la percussion à qui mieux mieux, en une singulière mise en scène de la Passion. Du sommet de la colline l'ont peut contempler au loin la ville de Luque, perchée sur son rocher,

dont l'aspect inspira le voyageur romantique David Roberts, ainsi que le voisin village de Zuheros, également "suspendu" sur son roc depuis le IXè siècle. Tout près, la Cueva de los Murciélagos (la Grotte des Chauve-souris) est le témoin de la présence humaine dans cette région depuis des millénaires, et l'on peut admirer ses traces matérielles dans l'intéressant musée archéologique de Zuheros. La province de Cordoue montre les empreintes de son glorieux passé dans chaque recoin, depuis Almodóvar del Río avec son château (en haut), jusqu'à la frange montagneuse de Hinojosa del Duque avec son église Renaissance (ci-dessous).

•**La tradition de la poterie** *a survécu dans des villages comme Hinojosa del Duque (ci-dessous), Pozoblanco et la Rambla, qui abritent au total une centaine de fabriques.*

Medinat al-Zahara

Abderrahman III, à l'instar des califes abbasides de Bagdad, construisit sa ville palatine à quelques kilomètres de la capitale. Ainsi surgit Madinat al-Zahra, sur le mont al-Arous (la fiancée), un complexe palatial dont la construction dura 40 ans et qui survécut 34 années. Les chroniques nous parlent de 10000 travailleurs, 6000 blocs de pierre taillés quotidiennement et plus de 4000 colonnes amenées de confins éloignés. Ces chiffres, longtemps considérées comme exagérées, semblent se confirmer au fur et à mesure que la recherche avance. Il semble en outre que al-Hakam II fut le directeur des travaux de la ville qui montre l'apogée de l'art califal. Là, les motifs orientaux syriens et les influences byzantines sont merveilleusement assimilés et synthétisés, créant de nouvelles formes et les répertoires originaux les plus exquis. La ville s'étend sur 1515 mètres d'Est à l'Est et sur 745 mètres du Nord au Sud. Elle s'adapte au terrain, qui présente un dénivellement de 70 mètres, par le truchement de trois grandes terrasses. La terrasse supérieure abritait la résidence califale, d'où le commandeur des croyants dominait sa ville. La terrasse moyenne était destinée à l'administration, les jardins, les dépendances de la cour et les résidences des hauts-fonctionnaires. La terrasse inférieure correspondait à la ville proprement dite, avec sa grande mosquée, les souks, les bains... et où vivait le peuple et la troupe.

Au centre de la Terrasse brillante, la haute, se trouvait le salon principal, entouré vers le levant par trois salons destinés aux réceptions officielles et au fond, le Salon du Trône de forme octogonale, avec huit portes. « Au coeur de la ville dans la terrasse

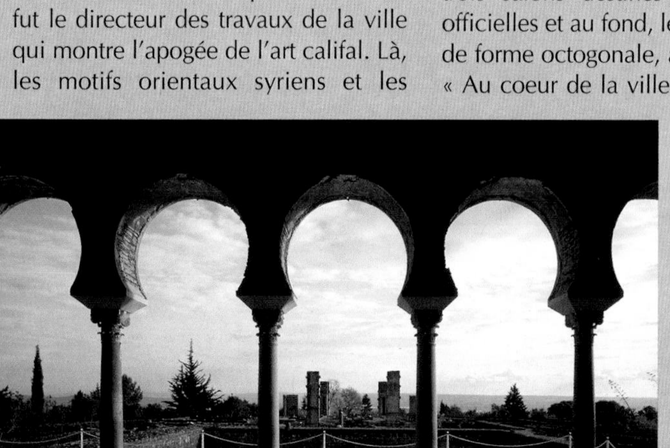

•Le Pavillon du Jardin
Face au Salon Riche, il existait un bassin dont les restes peuvent s'observer (à gauche), où se reflétaient le pavillon et les édifices environnants entourés de jardins.

centrale se trouve le grand carré de 100 mètres de côté, ceint également d'une muraille et délimité au nord par le bassin qui précède le Salon Riche, connu également comme le Pavillon d'Abderrahman III, de plan rectangulaire avec cinq nefs, les trois centrales sur des arcades (à gauche) et les deux autres derrière les murs latéraux. Ce salon arbore la décoration végétale la plus raffinée, une bichromie dans les colonnes alternant le rouge et le vert, des chapiteaux taillés au trépan qui symbolisent l'apogée de l'art califal.

•**Salon Riche ou Dar al-Mulk** la légende raconte que la profusion d'or, argent, diamants et pierres précieuses était telle, que lorsque les rayons de soleil y pénétraient, ils produisaient un jeu magique de lumières et un scintillement qui éblouissaient et laissaient perplexes les visiteurs royaux, hommes d'Etat, lettrés, poètes, musiciens, danseuses... les arcs d'ivoire et d'ébène, les parois de marbre variés et jaspes transparents, la coupole de mosaïques couverte de tuiles d'or et d'argent..."

•**Plat du Xè siècle** *Les habitants d'al-Andalus travaillaient la céramique vernissée d'origine irakienne. On a trouvé à Madinat al-Zahra des restes de ces objets présentant les motifs typiquement califaux en vert-manganèse.*
o.

•**Jalousies** *Les jalousies d'époque califale étaient en bois. Pour les structures spécialement somptueuses on utilisait le marbre ou la céramique.*

• LE RELIEF DE MADI-NAT AL-ZAHRA

Le motif végétal sculpté au centre de ce panneau provenant d'un jambage d'arc se structure sur deux files. Chacune a cinq branches feuillues entourées de vrilles de vigne entrecroisées représentant l'arbre de vie. Les panneaux de marbre qui recouvrent les murs sont finement taillés, avec un relief atténué, présentant de longues tiges et des feuilles réalistes où, comme le dit le Professeur Pareja, "le marbre devient un matériau tendre dans les mains des décorateurs (...). La décoration végétale envahit les plinthes comme si elle voulait créer une haie d'où émergent les murs". Et d'ajouter: "A Madinat al-Zahra commence un processus différent et nouveau, vrai laboratoire où se forgea le nouvel art califal cordouan.

• CHAPITEAU ET BASE

Les bases et des chapiteaux présente une décoration brillament taillés. Le chapiteau est d'ordre corinthien et présente deux rangées de feuilles d'acanthe, le motif végétal de la surface, librement interprété et uniformément distribué, montre une taille très profonde. Il en est de même dans cette base reconstruite.

•**LA MAISON DES VISIRS.** Appelée aussi Maison de l'Armée située au Nord près de la muraille de cinq mètres d'épaisseur qui protégeait la cité, elle était proche du portique inférieur. Les fouilles, réalisées presque toutes au cours du XXè siècle, puisque auparavant on ne connaissait l'emplacement de Madinat al-Zahra, ont permis de découvrir une petite partie du site archéologique. Par chance, les pilleurs méprisèrent la décoration et dépouillèrent surtout les éléments constructifs.

•**LE DAR AL-JUND (MAISON DE L'ARMÉE)** *Un noyau central à trois nefs profondes s'ouvre par des portiques qui dessinent un T inverti, séparé des dépendances nobles.*

•**LA CIVILISATION DU CALIFAT DE CORDOUE DU TEMPS D'ABDERRAHMAN III.** *En haut, tableau de l'Université de Barcelone de D. Baxeiras (1862-1943) où est mise en scène une réception des ambassadeurs de Byzance à Madinat al-Zahra pour lui faire cadeau des livres de botanique.*

•**PYXIDE D'AL-MUGHIRA.** *Cette boîte en ivoire fait partie d'une série de pyxides avec couvercle en forme de coupole provenant de Madinat al-Zahra.*

Medina Zahara

1. Mezquita-cathédrale.
2. Palacio de Congresos y Exposiciones.
3. Alcázar de los Reyes Cristianos.
4. Triunfo de San Rafael
5. Puerta del Puente.
6. Puente Romano y Torre de la Calahorra..
7. Molinos Arabes.
8. Murallas.
9. Calleja de las flores.
10. Museo Taurino y Zoco.
11. Sínagoga.
12. Capilla de San Bartolomé.
13. Puerta del Almodóvar.
13. Casa de las Ceas o del Indiano.
15. Iglesia de la Trinidad.
16. Gobierno militar.
17. Iglesia de San Nicolás de la Villa.
18. Iglesia de San Hipólito.
19. Conservatorio de Música.
20. Iglesia de la Compañia.
21. Iglesia de Santa Victoria.
22. Museo Arqueológico.
23. Arco del Portillo.
24. Casa de los Marqueses del Carpio
25. Iglesia de San Francisco.

26. Museo Provincial de Bellas Artes y Museo Julio Romero de Torres.
27. Posada del Potro.
28. Plaza de la Corredera.
29. Iglesia de San Pedro.
30. Iglesia de Santiago.
31. Ayuntamiento.
32. Iglesia de San Pablo.
33. Casa de los Villalones.
34. Iglesia de San Andrés.
35. Iglesia de la Magdalena.
36. Círculo de la Amistad.
37. Iglesia de Santa Marta.
38. Plaza de los Dolores.
39. Iglesia de Santa Marina.
40. Palacio de los Marqueses de Viana.
41. Iglesia de San Agustín.
42. Iglesia de San Rafael.
43. Iglesia de San Lorenzo.
44. Convento de los Trinitarios.
45. Iglesia de San Cayetano.
46. Torre de la Malmuerta.
47. Palacio de la Diputación.
48. Ruinas de Medina Azahara.

Direction: J. Agustín Núñez
Edition et production: EDILUX S.L.
Photomécanique: EDILUX S.L.
Mise en page, maquette et dessins: Estrella Román et Pablo Román
Photographie: Miguel Román et J. Agustín Núñez
Traduction: Daniele Grammatico
Imprimerie: Copartgraf s.c.a.
Reliure: Hermanos Olmedo s.l.
ISBN:84-87282-42-03
Dépôt Légal:GR-737-2001

Téléphone: 958 08 2000
E-Mail: ediluxsl@supercable.es